KB097099

식용
열대식물 엿보기

유기열(Ki-Yull Yu)
https://brunch.co.kr/@yukiyull

발 행 | 2024-01-09
저 자 | 유기열(Ki- Yull Yu)
펴낸이 | 한건희
펴낸곳 | 주식회사 부크크
출판사등록 | 2014.07.15(제2014-16호)
주 소 | 서울특별시 금천구 가산디지털1로 119, A동 305호
전 화 | 1670 - 8316
이메일 | info@bookk.co.kr

ISBN | 979-11-410-6584-3

본 책은 브런치 POD 출판물입니다.
https://brunch.co.kr

www.bookk.co.kr

식 용

열대식물 엿보기

유기열(Ki-Yull Yu) 지음

차 례

사물에 대한 관심과 고마움은 인간이 추구하는 일의 성과를 거두는 데 큰 힘이 된다. 책 『열대식물 엿보기-식용』 역시 열대식물에 대한 나의 관심과 고마움이 낳은 성과라고 본다.

그렇다면 많은 것 중에 왜 열대식물에 대해 고마움과 관심을 가졌는가?

첫째, 지구상에 식물이 없다면 산소(O_2)와 먹거리가 부족하여 만물의 영장인 인류는 물론 수많은 생명체가 지금처럼 살 수 없으며 이산화탄소(CO_2) 과다로 지구온난화와 같은 기후위기는 더욱 빨라지고 심각할 것이라고 믿기 때문이다. 그래서 나는 길가에 자라면서 밟히는 한 포기 풀에도 눈을 마주하며 고마움을 잊지 않는다.

둘째, 공무원 정년을 한 뒤 『숲 연구소』에서 1년간 숲, 식물, 생태 환경 등을 공부하고 국립수목원에서 4년간 숲 해설을 했다. 그 탓인지 열대지역에서 생활할 수 있게 되자 나도 모르게 주변에 있는 열대식물과 아침저녁으로 눈인사를 하다 보니 정이 들 정도로 가까워졌고 열대식물의 색다른 점에 놀라움과 함께 빠져들지 않을 수 없었기 때문이다.

셋째, 메모지와 펜이 있고, 하고 싶은 마음만 있으면 열대식물을 관찰을 할 수 있었기 때문이다. 길을 가다가도, 어디를 가더라도 맘만 먹으면 누구의 간섭이나 어떤 제약도 없이 쉽고 자유롭게 식물에 다가가 마주보며, 만지고, 감상까지 하면서 그들의 아름다움, 오묘함, 풍미 등에 폭 빠지기도 했다. 뿐만 아니라 그런 일 자체가 흥미롭고 재미있는 놀이 같았고 그러다 보면 때론 근심걱정까지 치유되기도 했다.

넷째, 지구 온난화로 한국도 이미 제주도와 남부해안은 아열대 현상이 나타나고 있다. 예전에 볼 수 없었던 열대식물이 노지나 시설에서 재배되고 있어 과수, 채소, 관상식물 등 열대식물에 대한 조사연구를 강화하는 등의 기후변화에 대한 대책이 시급하다고 판단되었기 때문이다.

물론 정부도 열대식물의 중요성을 인지한지 오래되었다. 그래서 농림축산식품부의 산림청 국립수목원, 농촌진흥청 온대화대응농업연구소, 환경부의 국립생물자원관 등의 관련기관에서 열대식물에 대한 연구가 진행되고 있으며, 이들 기관이나 민간단체가 열대식물도감이나 책 등을 발간하고 있는 것으로 안다.

하지만 아직까지 한국인 개인이 직접 열대 현지에 살면서 열대식물을 관찰하고 조사하여 발간한 책 이야기는 들어보지 못했다. 또한 자료부족으로 열대식물에 관심이 있는 사람들의 많은 궁금증을 해소하는데 어려움이 있는 것도 사실이다.

따라서 한국인의 열대식물에 대한 궁금증을 조금이나마 해소하고, 열대식물에 대한 관심을 높이는 데 도움이 되기를 바라면서 부족하지만 책 『열대식물 엿보기-식용』을 발간하였다.

책 『열대식물 엿보기-식용』은 저자가 아프리카와 동남아에서 4년9월을 살면서 직접 많은 식물을 관찰하고 조사하였으며 그 중에서 20종의 식용식물을 선정하여 관찰 조사한 내용을 사진을 곁들여 쉽게 설명했다. 따라서 먹을 수 있는 열대식물은 어떤 것이 있는가? 그들의 꽃, 열매, 씨 등은 어떻게 생겼는가? 한국인이 보는 온대식물과 그들은 어떤 점이 다른가? 온대와 열대 양쪽에서 다 살고 있는 식물은 같을까 달라질까? 달라지면 어떻게 달라질까? 이런 궁금증을 푸는데 도움이 될 것이다.

더 나아가 책 『열대식물 엿보기-식용』을 읽다 보면 자기도 모르게 열대식물의 환경적응력과 생존전략에 놀라고 공감하면서 생존을 위한 지혜를 터득하게도 될 것이다. 걸핏하면 삶의 터전과 직장을 쉽게 바꾸고 편하게만 살려는 현대인에게 열대식물은 뜨겁고 척박한 땅일지라도 뿌리를 내리고 인내하며 수백 년을 살아가면서 한번쯤 그런 삶의 방식을 다시 생각해보라고 한다.

한편 동남아와 아프리카 국가의 국력이 약해 정부에 의한 열대식물에 대한 조사연구가 잘 이루어지지 않아 열대식물이 제대로 활용되지 않는 것이 무척 안타까웠다. 앞으로 한국이 열대식물에 대한 종합적이고 체계적인 조사연구를 실시하여 인류의 삶의 질 향상에 공헌하기를 기대한다.

물론 미흡한 점도 있을 것이다. 관련된 의견을 주시면 그들을 검토하고 모아서 기회가 되면 다시 보완하려고 한다.

2024. 01. 30

유 기 열

사물에 대한 관심과 고마움은 인간이 추구하는 일을 성취하는 데 큰 힘이 된다. 이 책 『열대식물의 엿보기-식용』 역시 열대식물에 대한 관심과 고마움이 낳은 산물이라고 본다.

아프리카와 동남아에서 4년9월을 살면서 직접 관찰하고 조사한 20종 식용식물에 대해 사진을 곁들여 쉽게 설명했기에 열대식물에 대한 궁금증을 해소하는 데 도움이 될 것이다. 더욱이 책을 읽다 보면 자기도 모르게 열대식물의 환경 적응력과 생존전략에 놀라고 공감하면서 생존을 위한 지혜를 터득할 수도 있다.

걸핏하면 삶의 터전과 직장을 쉽게 바꾸고 편하게 살려는 현대인에게 열대식물은 뜨겁고 척박한 땅일지라도 뿌리를 내리고 수백 년을 살아가면서 한번쯤 그런 삶의 방식을 다시 생각해보라고 하는 것 같았다.

한편으로는 열대지역의 국가들이 대부분 국력이 약하여 이들 풍부한 식물들에 대한 조사연구가 잘 이루어지지 않아 제대로 이용되지 않는 게 안타까웠다. 앞으로 독자 중 한 사람이라도 열대식물에 대한 종합적이고 체계적인 조사 연구가 이루어지는 데 참여하여 인간의 삶의 질 향상에 도움이 되었으면 한다.

일러두기

● 학회 등에 의해서 확정된 한글이름이 없는 경우는 일반적으로 많이 불러지는 이름을 사용했고, 그런 이름이 없는 식물은 저자가 식물의 특성, 영명 등을 참고하여 지었다.

● 식물의 순서는 한글이름의 가나다순으로 했다.

● 식물의 꽃, 잎, 열매, 씨, 뿌리 중 어느 한 부분 이상을 먹거나 약용하면 식용식물로 하였다.

● 사용된 사진은 모두 저자가 휴대폰으로 찍었으며, 몇 장 안되지만 인용한 사진은 아래에 출처를 밝혔다.

● 참고사항과 참고문헌은 각 식물 뒤의 "필자 주"에 표기했다.

● 열대식물에 대해 더 알고 싶으면 저자가 지은 『열대식물 엿보기-비식용, 출판준비 중, 2024』, 『메콩델타-베트남의 젖줄, 2021』, 『껀터-메콩델타의 보물, 2021』, 『르완다-아프리카의 심장, 2016』을 참고하면 도움이 될 수 있다.

12

●겨울눈이 없다

열대식물엔 온대식물과 달리 겨울눈(越冬芽)이 없다. 열대에는 식물이 잎을 떨구고 맨 몸으로 견뎌내야 할 겨울이 없으며 1년내내 언제든지 필요하면 새 잎을 내고 꽃을 피워 열매를 맺으며 살을 수 있기 때문이다.

사실 온대에서는 나무는 생육이 왕성한 여름에 겨울에 필요한 먹이도 준비하여 저장하고, 다음해 봄에 나올 꽃과 잎 등에 필요한 꽃눈, 잎눈 등도 만든다. 이러지 않으면 나무의 생존자체가 어렵기 때문이다.

●향기가 없거나 적다

열대식물은 꽃은 물론 잎 등에도 허브를 빼고는 향기가 적다. 온대지역에서 자랄 땐 향기가 있는 식물도 열대지역에서 자라니까 향기가 없었다. 신기한 일이다. 쑥과 부추가 그렇다. 한국 쑥이 열대인 르완다에서 자라니까 향기가 나지 않았다.

이처럼 온대에서는 향기가 나는 식물이 열대에서 자라면 향기가 나지 않는 이유는 매개체를 불러 모아 꽃가루받이를 하는데 어려움이 없거나 적기 때문으로 추정된다. 이유를 과학적으로 밝히기 위해서는 2곳에서 자라는 식물성분의 화학적 분석을 통한 연구가 도움이 될 것이다. 쑥의 경우 향기가 나는 것은 시네올(Cineol or Eucalyptol, C10H18O)이라는 정유(精油) 성분으로 알려져 있기 때문이다.

부추는 향기가 적어질 뿐만 아니라 혹처럼 생긴 근경(Rhizome)도 생기지 않았다. 혹 모양의 근경이 생기지 않는 이유는 겨울이 없어 월동용 양분을 저장할 필요가 없기 때문이라고 생각한다. 시련과 역경을 견뎌내야 더 강해지고 맛깔스러워지는 건 식물이나 인간이나 마찬가진가 보다.

 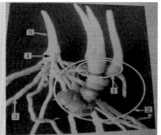

르완다산 부추 근경 없음　　온대의 부추, 2-근경

●꽃에 꿀이 적다

한국에서는 꽃을 따서 관찰하다 보면 손에 꿀이 묻어 끈적거린 경험이 있었는데 열대식물의 꽃에서는 그런 경험을 한 기억이 없다.

그러나 꽃에 꿀이 있기는 하다. 양봉을 하고 있으며, 그 나라에서 생산한 꿀을 마트 등에서 팔고 있으며 가끔 꽃을 분해 해보면 꿀이 적지만 보이기 때문이다. 식물에 꿀이 적을 뿐이다.

●꽃이 선명하고 화려하다

열대식물은 대부분 꽃의 색이 밝고 화려하다. 특히 난류 등이 그렇다. 이는 향기와 꿀 대신에 아름다움으로 매개체를 유인하여 꽃가루받이를 하기 때문인 것 같다.

이처럼 열대식물이 많은 에너지와 노력을 들여 겨울눈을 만들지 않아도, 향기를 내지 않아도, 꿀을 품고 있지 않아도 되는 까닭은 이렇게 해도 열대지역에서는 식물이 생존하여 종족을 보존하는 데 큰 문제가 없기 때문일 거다.

●낙엽(落葉)은 떨어지나 단풍(丹楓)은 없다

열대식물도 수명을 다한 잎은 낙엽이 되어 떨어진다. 그러나 르완다에서는 나뭇잎이 단풍으로 변하는 나무를 보지 못했고 베트남에서는 딱 하나 열대아몬드(*Terminalia catappa*)의 일부 잎이 붉게

물들었을 뿐이었다. 이는 아마도 열대에서는 최저기온이 5℃아래로 내려가서 오래 지속되지 않기 때문일 것이다. 그래서인지 르완다대학교 대학생들도 단풍이 무엇인지 잘 몰랐다.

일반적으로 최저기온이 5℃아래로 내려가 오래 지속되면 나무는 잎과 가지 사이에 떨켜층(이층, 離層)을 만들어 물과 양분의 이동을 어렵게 만든다. 그러면 잎의 산도가 높아져 녹색의 엽록소(chlorophyll)가 파괴되면서 녹색 대신에 노란색의 카로티노이드(carotenoids), 붉은색의 안토시아닌(anthocyanin), 갈색의 탄닌 등의 색소가 나타나 잎이 노랗고 붉고 갈색으로 변하는 게 단풍이다. 그런데 열대에서는 최저기온이 5℃아래로 내려가는 날이 거의 없기에 단풍이 생기지 않는다고 본다.

●열대나무는 때 없이 사랑하고 생산하여 꽃과 열매가 공존하기도 한다

열대나무는 한 나무에서도 가지마다 꽃이 피고 열매 맺는 시기가 달라 꽃과 열매가 같이 있기도 한다. 꽃이 피어 있어 바라보면 열매가 익어 달려 있고, 열매가 달려 있어 처다 보면 꽃도 함께 피어 있다. 열대에서는 꽃은 봄에 피고 열매는 가을에 맺는다는 상식이 통하지 않는다. 양분만 충분하면 시도 때도 없이 꽃을 피우고 열매를 만든다.

꽃과 열매가 공존하는 별과일(베트남)과 아보카도(르완다)

나무는 한 몸으로 동시에 사랑하고 잉태하고 생산하는 셈이다. 참 오묘하다. 그런 나무는 *Erythrina abyssinica*, 아보카도, 우의목(羽衣木, *Grevillea robusta*, Silk oak), 별과일 등 많다.

●풀로 알고 있는 식물이 열대에서는 나무인 경우도 있다

내가 본 열대식물 중 포인세티아(*Euphorbia pulcherrima*)가 그랬다. 한국에서는 포인세티아가 풀로 취급되어 빨간 크리스마스 식물로 화분에 심거나 꽃밭에 다른 풀과 함께 심는다. 그런데 르완다에 가니까 2m가 넘는 나무로 자랐고 열매까지 맺었다. 그러나 줄기를 꺾어보니 속은 비어 있었다.

한국에서도 제가 2009년2월 잠실로 이사 와서 비닐포트에 심은 포인세티아 한 주를 사와서 지금까지 키우고 있다. 그런데 2023년12월4일 현재까지도 살아 키가68cm, 아래 밑동의 굵기가 둘레4cm 정도로 크다. 더 나아가 줄기가 나무처럼 단단하고 여러 개의 줄기와 가지가 뻗었다.

포인세티아(르완다, 오른쪽-제가 집 화분에서14년이상 키운 것)

포인세티아의 꽃잎처럼 빨갛게 보이는 것은 꽃이 아니고 포(苞 또는 苞葉, Bract)다. 빨간 꽃처럼 보이게 만들고 싶으면 단일처리 즉 햇빛 쬐는 시간을 줄여주면 된다.

이처럼 열대식물과 온대식물이 다른 점도 있지만 같은 점이 훨씬 많다. 식물은 어떤 식물이든지 물, 공기, 빛을 이용하여 스스로 탄수화물과 먹거리를 생산하고, 이산화탄소(탄산가스)를 소비하며 산소를 생산하여 인류를 포함한 수많은 생명체가 생존할 수 있게 하고 있다.

뿐만 아니라 식물은 바위 틈새든, 웅덩이든, 양지바른 옥토이든, 산이든 평야든 가리지 않고 처해 있는 곳에서 불평하거나 싸우지 않고 서로 어울려 조화롭게 살고 있는 점 또한 같다. 이런 점이 우리 모두가 식물을 좋아하고 아끼며 고마워해야 할 까닭이다.

식물이 없으면 인류도 없다. 풀과 나무에 관심을 가져야 하는 이유다.

여러 식물과 어울려 사는 파파야

고구마나무(*Artocarpus altilis*)

-튀긴 열매살(果肉) 사케는 고구마 맛과 비슷해

토마토나무가 있듯이 고구마나무가 있다. 고구마나무는 내가 지은 이름이다. 이유는 열매살을 기름에 튀기거나 쪄서 먹으면 고구마 맛이 나기 때문이다. 베트남에서는 열매 튀긴 것을 사케(Sake)라고 부른다.

위-어린 열매, 아래-막대형 수꽃, 둥근 타원형 암꽃

나는 2013년7월30일 아프리카 탄자니아의 세렝게티국립공원 (Serengeti National Park)에서 이 나무를 처음 보았다. 가이드는 열매 맛이 빵과 비슷해서 빵나무(Bread fruit)라고 부른다고 했다.

같은 열대나라지만 르완다에서는 본 기억이 없다.

2017년 베트남 껀터시에 오니 이들 나무가 많았다. 하지만 꽃이나 열매는 말할 것도 없고 이름을 물어도 아는 이가 적었다. 그러다 직장에서 직원이 사케라며 튀긴 음식을 가져와 먹어보라고 해서 먹었다. 맛이 튀긴 고구마 맛이었다. 맛있었다. 눈 깜짝할 사이에 직원들과 함께 한 접시를 다 비웠다. 그때 먹은 것이 알고 보니 빵나무 열매를 기름에 튀긴 것이었다. 그런데 정말 빵(맛)과는 아무 관련이 없었다.

맛이 있어 시장이나 마트에서 사서 먹으려고 했으나 팔지를 않았다. 시장거래는 되지 않았다. 아파트 주변이나 재래시장 가는 길에 많이 있어 염치불구하고 집 주인에게 부탁해서 몇 개를 얻었다. 사례금을 주니 아무도 받지 않았다. 고마웠다.

집에 가져와 껍질을 벗기고 열매 살을 잘라서 기름에 튀겨서 먹었다. 역시 고구마 맛이었다. 쪄서도 먹었다. 찐 것은 물 고구마 맛이었다. 단 맛이 덜한 것과 찐 것은 크림처럼 미끄러운 점이 달랐다. 먹어보고 난 뒤부터 나는 빵나무라 부르지 않고 고구마나무라고 부르고 있다. 아무리 빵 맛을 찾으려 해도 못 찾았고 빵과 같은 성질도 없기 때문이다.

맛은 괜찮은 데 요리하기가 힘이 든다. 끈적끈적한 흰 즙이 나고 칼로 껍질을 벗기기가 어렵다. 열매살도 생 것은 단단하여 잘 잘라지지 않는다. 실온에 오래 두었더니 물컹해져 튀김하기가 어려웠다. 찌면 연하고 크림 같다. 하지만 튀김처럼 맛이 나지 않는 게 흠이다.

고구마나무 속에는 여러 종(Species)이 있어 내가 본 것이 *Artocarpus altilis*인지는 확인하기 어렵지만 고구마나무(빵나무)는 틀림없다.

나무 키는 5~15m이며, 가지가 많이 뻗어 수형(樹形)은 위가 둥근 모양이다.

잎은 너비나 길이가 30~40cm로 크며 가장자리(葉緣)가 10여곳이 깊이 갈라져 있다. 잎은 어긋나며 겉은 매끄럽고 윤기가 난다. 엽맥(葉脈)은 희고 뚜렷하며 어긋난다. 새잎은 멀리서 보면 꽃 같다. 잎이 피는 모습은 정말 다이내믹 하다.

암수한그루이며 꽃은 단성화로 암꽃과 수꽃이 따로따로 핀다. 수꽃은 길고 둥근 굽은 막대 모양의 축에 수백 개의 꽃이 육수화서(Spadix, 肉穗花序, 살이삭꽃차례))로 핀다. 수꽃차례의 길이는 15~20cm이다. 꽃가루가 빠져나가고 오래 되면 녹색이나 연 녹색, 연 노란색에서 갈색으로 변한다.

암꽃은 둥글거나 약간 둥근 짧은 타원형 모양의 축 겉에 수십 수백 개의 꽃이 육수화서로 핀다. 꽃차례 길이는 2~5cm이다. 수십 수백

여 개의 아주 작은 꽃이 각각 수정을 하여 씨가 되고 이들 씨를 둘러싼 과육이 모여 1개처럼 보이는 열매를 만든다. 크기가 너무 작아 꽃받침, 꽃잎, 암술, 수술이 있다고 하더라도 눈(肉眼)으로는 확인이 어렵다. 확대해서 보니 암술머리는 2갈래로 갈라져 있다.

열매는 둥글거나 길이가 약간 긴 둥근 모양이다. 겉에는 수백 개의 4~8각형의 조각이 이어져 있고, 각 조각 가운데는 짧고 뾰족한 돌기가 있다. 이들 조각 1개가 하나의 꽃이 수정하여 1개의 씨가 되고 이들이 모여 하나의 둥근 열매가 되었다. 열매 크기는 지름이 10~18cm이다.

신선한 열매

나무에서 바로 딴 열매는 딱딱하다. 그러나 1주일정도 지나니 말랑말랑해지거나 물컹해졌다. 생으로 잘라서 맛을 보니 맛이 없어 먹을 수가 없었다. 쪄서 잘라보니 크림 같았고 쥐어보니 살이 터져 나왔다. 단 맛은 적었지만 고구마 대용으로 먹을 만했다.

찐 열매의 세로단면 안의 축과 축에 붙은 씨

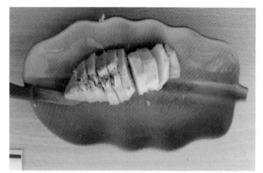

찐 열매의 껍질을 벗겨 잘라 놓은 열매살

열매가운데에 긴 축(軸)이 있다. 씨는 여기에 세로(수직)로 붙어 있으며 씨 알갱이와 끝의 가시 털은 열매살 속에 생선가시처럼 박혀 있다. 열매가 익지 않으면 열매살과 씨가 분리가 잘 안 된다.

씨 모양은 아주 홀쭉한 올챙이 모양이다. 정자(精子) 모양 같기도 하다. 씨 알갱이는 긴 타원형이며 끝에 긴 털이 1개 붙어 있다. 크기는 길이 알갱이 4~5mm, 털 5~8mm로 전체 9~13mm다. 알갱이 너비는 1mm정도다. 색은 갈색이다.

KVIP 가는 길의 산업공단 내의 고구마나무 가로수 길

이름은 한 번 지으면 보편화 되고 고정되어 바꾸기가 쉽지 않다. 고구마나무 역시 그렇다. 그렇더라도 나는 빵나무 보다는 고구마나무라고 부르기를 바란다. 그 나무에서 빵의 특성은 찾기 어려운 대신에 고구마 특성을 지녔기 때문이다. 빵 맛은 전혀 안 나는 대신에 고구마 맛이 나고, 열매 성분에 전분이 많아서 그렇다. 이 글을 읽고 한 사람이라도 빵나무를 고구마나무라고 불러주면 그것으로 만족한다.

구아바(*Psidium guajava*)

-열매껍질과 씨까지 다 먹을 수 있어

구아바는 열매는 물론 잎, 뿌리, 줄기와 가지 모두가 식용이나 약용으로 사용된다. 구아바 열매를 먹을 때는 껍질을 깎지도 않고, 씨도 빼내지 않은 채 열매살과 같이 먹는다. 껍질은 열매살과 한 몸이 되어 있고, 씨에는 약효성분이 많이 들어있고 먹기에 그다지 불편하지 않기 때문이다.

구아바는 도금양과(Myrtaceae) 식물로 학명은 *Psidium guajava*, 영명은 guava다. 한글명은 공식적이지는 않지만 일반적으로 구아바로 불리어지고 있으며 고착화 되었다.

디저트로 나온 흰색과 핑크 열매(베트남)

형태와 잎 등: 구아바는 열대상록활엽수로 소교목(Small tree)이나

관목(Shrub)이다. 내가 본 가장 큰 나무는 높이 약7~10m다.

오래된 나무의 몸통은 흰색에 가까운 얇은 종이 같은 껍질로 싸여 있어 희다. 몸통을 싸고 있는 껍질은 스스로 들떠 일어나 벗겨진다. 그러면 선명한 적갈색이나 구리(銅)색이 나타나는데다 매끄럽고 무척 단단하게 보인다. 그래서 외관상으로는 앤티크(antique)가구 재료로 알맞아 보인다.

오래된 나무의 몸통(르완다)

잎은 마주 나며 긴 타원형으로 중앙에 세로로 주맥이 있고 측맥(側脈)이 아주 뚜렷하다. 크기는 길이5~15cm, 너비3~5cm다. 잎은 차를 만들어 마시기도 한다. 르완다 사람은 설사할 때에 구아바 잎을 끓여 마시기도 한다.

꽃: 꽃은 꽃받침, 꽃잎, 암·수술이 있는 양성화로 잎 겨드랑이에서 핀다. 꽃받침은 녹색이며 4~5조각으로 보이며 꽃이 피기 전에는 꽃 전체를 완전히 감싸고 있다. 꽃잎은 흰색이며 4~5장이다. 암술은 꽃 중앙에 1개가 있으며 수술보다 굵어 구별이 쉽다. 수술은 여러 개이며 수술대는 희고 암술보다 많이 가늘다. 꽃이 피었을 때 화관은 지름2~4cm다.

잎과 꽃(베트남)

열매: 열매는 둥글거나 서양배 모양이다. 겉은 매끄럽지 않고 미세한 좁쌀이 박힌 듯 살짝 우둘투둘하다. 위 끝에는 4~5개의 꽃받침으로 보이는 돌기가 붙어 있다. 크기는 길이(지름) 5~10cm다. 색은 초기에는 녹색이고 익으면 연녹색, 연 노란색이 된다.

구아바 열매살은 흰색과 핑크색이다. 열매살 색이 다른 것은 종(種, Species)은 같지만 품종(Variety)이 다르기 때문이라고 본다.

열매는 생으로 잘라서 먹는데 소금을 찍어 먹으면 맛이 더 좋다. 집에서 주스를 만들어서 먹어도 좋다. 남아프리카공화국 여행 때 호텔식당에 분홍색 구아바 주스가 있어 먹었더니 상큼하니 맛이 좋았다.

흰 열매

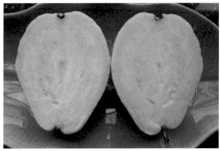

흰 열매 종단면

씨: 씨는 도톰한 타원형으로 열매 살 속에 수십~수백 개가 박혀 있다. 크기는 길이2~3mm정도며 색은 노란빛이 돈다. 완전히 익은 씨는 딱딱한 편이나 약간 덜 익은 씨는 씹히기도 한다.

구아바는 다른 열매와 달리 씨를 발라내지 않고 씨와 함께 먹는다. 그 이유는 ❶씨에 칼륨 같은 양분과 당뇨·혈압 등의 약효성분이 많이 들어있고, ❷열매에서 씨를 분리하여 빼내기가 어려운 반면에 실제로 씨와 같이 열매를 먹어도 큰 불편함이 없기 때문이다.

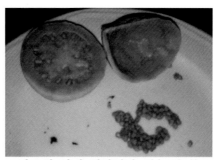

핑크색 열매 횡단면과 씨(르완다)

씨가 아무리 건강에 좋다고 해도 아주 단단해 씹을 수 없거나 씹지 않고 먹으면 탈이 난다면 씨와 함께 열매를 먹을 수 없을 것이다. 실제로 그랬다면 구아바 열매는 많은 작은 씨 때문에 세상에서 가장 먹기 어려운 열매 가운데 하나가 되었을 것이며, 지금처럼 인기 있는 과일이 되지 못했을 것이다.

그런데 구아바 씨는 먹기에 그다지 불편하지 않고, 딱딱해서 씹기 힘들면 그냥 삼켜도 된다. 씹지 않고 먹어도 소화 등에 아무 문제가 없다. 오히려 먹으면 건강에 좋으니 어찌 먹지 않을 수 있겠는가! 한낱 식물에 불과한 구아바 나무도 인간(생명체)을 이토록 이롭게 하거늘 사람인 우리는 어떤가? 한번쯤 생각해볼 일이다.

필자 주

1.https://en.wikipedia.org/wiki,https://food.ndtv.com, https://www.plantsrescue.com 를 참조했다.

그라비올라(가시여지, *Annona muricata*)

-열매는 으깨면 크림 같고 맛은 사과와 딸기를 합친 듯

그라비올라 과일을 으깨면 크림(Cream)보다 더 크림 같다. 맛은 딸기와 사과를 섞어놓은 듯 일품이다. 그러나 숙성이 덜 된 과일은 솜털을 설탕 즙에 버무려놓은 듯 맛이 안 좋다. 씨는 길이 1.2~2.0cm의 도톰한 타원형이다.

그라비올라는 포포나무과(Annonaceae)의 열대활엽수로 학명은 *Annona muricata*, 영명은 Soursop, Graviola(포르투갈어에서 유래), Guanabana(스페인어에서 유래), 베트남명은 mãng cầu xiêm 이다. 공식적인 한글명은 아직 없으나 그라비올라 또는 가시여지로 불러지고 있다.

그라비올라나무는 보지 못해서 직접 본 열매와 씨에 대해서만 쓴다.

열매: 열매는 둥글고 긴 타원형 또는 긴 달걀형이다. 겉은 가시 같은 것이 많이 나 우둘투둘하다. 색은 짙은 녹색, 암녹색이며 잘 익은 것은 연녹색이나 노란빛이 나는 녹색이다. 크기는 길이 15~30cm, 지름10~15cm다.

열매 가운데에는 엿 모양의 긴 수(髓)가 있다. 완전히 잘 익은 열매

의 것은 열매살과 구분이 잘 안되며 먹어도 된다. 열매 살은 하얗고 섬유질이 있다. 열매껍질은 얇고 연하다. 1개 열매에는 수십 개의 씨가 들어 있다.

시장에서 거래되는 익은 열매

열매의 횡단면

씨: 씨는 도톰한 긴 타원형이고 초콜릿색이나 갈색이다. 크기는 길이1.0~2.0cm, 너비5~10mm, 두께3~4mm다. 껍질은 딱딱하고 두께는 0.5~0.7mm다. 씨 껍질 안쪽엔 아주 미세한 가시 같은 돌기가 있으며, 이것은 씨 알갱이 속에 박혀 있다.

씨

씨 껍질과 씨 껍질 안의 알갱이

먹는 방법: 잘 익은 열매는 세로로 너비2~5cm 크기로 자른다. 그 조각 한 곳의 껍질을 칼로 살짝 벤 뒤 껍질 끝을 잡아당기면 껍질이 잘 벗겨진다. 그러나 익지 않았거나 숙성이 안 된 것은 껍질이 벗겨지지 않고, 칼로 깎아도 잘 안 깎아진다.

껍질은 벗기고 나면 수박처럼 그대로 먹으면서 씨를 발라내면 된다. 아니면 오목한 그릇에 열매 살을 넣고 나무젓가락이나 수저 등으로 으깨어 휘저으면 크림처럼 된다. 그런 뒤 씨를 골라내고 먹으면 좋다. 천연 과일크림으로 맛이 만점이다. 그러나 나처럼 그라비올라 크림을 만들어 먹는 베트남인을 만나지 못했으며, 그런 베트남인이 있다는 말도 들어보지 못했다.

열매 껍질을 벗겨놓은 모습

껍질을 벗긴 열매살을 휘저어 만든 크림

또 다른 한 가지는 횡(가로)으로 길게 2쪽으로 자른 뒤 열매살을 수저 등으로 퍼 먹는다. 이때 가운데 길게 있는 중심축(수)은 완숙된 것은 먹어도 되지만 완숙되지 않은 것은 딱딱할 수도 있으며, 이때는 그것을 도려내면 된다.

베트남에서 활동할 때 아이스크림이 먹고 싶을 땐 나는 그리비올라 크림을 만들어 먹곤 했다. 그라비올라 열매껍질을 벗겨 칼로 조각내어 그릇에 넣고 젓가락이나 수저 등으로 휘젓기만 하면 크림이 되니 만들기 쉽다. 맛이 좋고, 촉감도 부드러우며 향도 좋다. 열대 지역에 갈 일이 있으면 한번 맛보기를 권한다.

필자 주

1.https://en.wikipedia.org을 참고했다

바나나1(*Musa acuminata*, *Musa balbisiana*)

-찾았다! 바나나 씨

바나나 씨를 찾았다. 씨는 둥글고 검고 딱딱하다. 지름은 4~6㎜이다. 껍질 두께는 0.5㎜정도이며, 겉은 매끄럽지 않고 약간 우둘투둘하다. 돌멩이 등으로 두들기거나 누르면 깨진다. 껍질 안의 알갱이는 희다.

I found the banana seed. The seeds are round, black and hard. The diameter is 4~6mm. The thickness of the coat is about 0.5mm, and the skin is not smooth and slightly wrinkled. It breaks when you hit or press it with a stone. The inner content of the seed is white.

바나나 씨

2018년3월31일이었다. Hon Son 섬으로 KVIP 직원야유회에 같이 갔다. 산을 오르다 내려오는 길에 보정사(普靜寺, Pho Tinh Tu)에 들렀다. 휴식을 취하는데 스님이 바나나 등 음식을 내놓았다.

바나나는 길이 6~7㎝, 지름 2㎝정도 되는 작은 것이었다. 바나나를 먹는 데 무엇인가 씹히는 듯해서 조심이 보았더니 씨 같았다. 신기하여 사진을 찍었다. 하지만 그것이 씨라는 확신을 할 수 없어 그냥 잊고 지냈다.

2018년9월7일이었다. 집에서 바나나를 먹는 데 이물질이 있는 듯 했다. 조심스럽게 꺼내 보았다. 지난 번 절에서 본 것과 크기, 색, 모양이 비슷했다. 거의 같았다. 사진을 찍었다. 다음날인 9월8일에 믹서에 바나나를 갈아서 먹는 데 즙 속에 검은 색 물질이 있어 가려내어 말렸다. 껍질이 찢어지고 속 알갱이는 빠져나갔지만 씨가 분명했다.

하루건너 9월10일 아침에 먹은 바나나에서 1개 씨가 또 나왔다. 이상하고 신기한 일이다. 어찌 이럴 수 있단 말인가? 시장에서 사 온 15개 정도 달린 바나나 한 송이에서 3개 씨가 나온 셈이다.

사무실에 가지고 가서 7일 나온 씨와 비교해 보고 사진을 찍었다. 그런 후 돌멩이로 두들겨서 씨를 쪼개보았다. 그 중 1개는 배(胚)와 배유(胚乳, 씨젖)로 보이는 하얀 알갱이가 있었고, 나머지는 텅 비어 있었다.

지금까지 내가 바나나를 먹으면서 본 씨는 모두 4개다. 마지막 씨를 본 9월10일 이후에도 바나나를 계속 먹었는데 씨는 더 나오지 않았다.

야생 바나나는 씨가 있다. 그러나 재배종 바나나는 씨가 없다. 시장에서 거래되어 우리가 사 먹는 바나나는 재배종이다. 재배종은 육종을 하여 만든 3배체(Triploid) 바나나가 거의 대부분이기 때문이다. 씨 없는 수박과 같은 이치다.

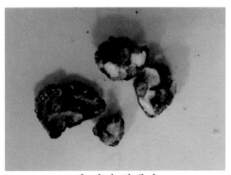

씨 안의 알갱이

바나나를 먹다 보면 속에 검은색 반점이 있다. 그것이 결실되지 않고 퇴화한 씨 흔적이다. 설령 씨가 있어도 완전하지 못할 가능성이 크기 때문에 발아하여 한 개체로 성장하기 어렵다. 발아는 되어도 출현이 안 될 수 있고, 출현까지는 되어도 생육하여 꽃을 피우고 열매를 맺을지는 장담할 수 없다.

그렇다면 바나나는 어떻게 번식을 할까? 바나나는 다년 생 풀이지만 꽃을 피워 열매를 맺은 개체는 더 이상 꽃을 피우지 못하고 죽는다. 대신 땅속줄기(地下莖)에서 새로운 개체가 나온다. 아기 바나나다. 이것을 옮겨 심거나 모주(母株)를 잘라내면 된다.

꽃봉오리와 어린 열매, 핀 꽃

내가 먹은 바나나는 수천 개에 이른다. 아프리카 르완다 3년, 베트남 2년 동안 하루에 1개 이상 먹었으니까 이 기간 먹은 바나나만 따져도 어림잡아 1,500개가 넘는다. 이렇게 먹은 바나나 중에서 딱 4개의 씨를 보았다. 정말 보기 힘든 씨를 본 셈이다.

누구는 물을지 모른다. 그래서 그것이 어쨌다는 것이냐고? 나는 그들에게 되묻고 싶다. 왜 사느냐고? 삶이 무엇이기에 그리 아등바등하냐고?

Someone may ask me. So what is it like? I would rather like to ask them back. Why are you living? What is life? Why do you try such your utmost to survive?

보고 싶은 것 보고, 하고 싶은 것 하면서 재미있고 보람 있게 살고 싶어서 그런 게 아닌가? 그러기 위해 돈도 벌고 출세도 하려 하는 것 아닌가?

Is not it because you want to live a fun and rewarding life in seeing what you want to see and doing what you want to do? Is not it for what you are trying both to make money and to get ahead in the world for doing so?

나는 아주 오래 전부터 직접 눈으로 바나나 씨를 보고 싶었다. 그런데 만지고 느끼기까지 했다. 씨 안도 들여다보았다. 간절함이 이루어진 것이니 얼마나 기쁜 일인가? 더구나 돈 안들이고 할 수 있으니 이보다 좋은 일이 어디 그리 흔한가? 이런 재미, 기쁨, 만족이 내가 사는 이유 중 하나이다.

I have wanted to see the seeds of the banana personally with my eyes for a long time. Then, I even touched and felt them. I looked into their insides. How glad is it that my longing dream has come true? Moreover, I made it without paying money. It is not common, but special lucky. Such a fun, joy, and satisfaction is one of the reasons why I live.

바나나2(*Musa acuminata, Musa balbisiana*)
-예전에 몰랐던 덜 익은 바나나 특성, 나무토막 같아

덜 익은 바나나는 나무처럼 단단하고, 껍질이 잘 안 벗겨졌다. 속은 딱딱하고 끈적이며, 떫고 독(毒)했다. 때문에 해충이 기생하기 어려워 보였다.

The unripe bananas were hard like trees and not peeled well. Their inner part was hard and sticky, bitter and poisonous. As a result, pests seemed difficult to parasitize.

덜 익은 바나나가 궁금하여 칼로 잘라가며 힘들여 껍질을 벗겨 보았다. 예상과 달리 살과 껍질이 완전하게 분리되지 않았다. 대신 칼과 손이 몹시 끈적거렸다. 비누칠을 해가며 수세미와 사포(沙布)로 닦고 씻기를 되풀이 했다. 덜 익은 바나나에서 묻은 분비물이 껌보다 몇 십 배 접착력과 끈적임이 강했다.

이뿐만 아니라 꽃과 달리 덜 익은 바나나는 강도(强度/剛度)가 나무 못지않았다. 속살(果肉)과 껍질이 한 몸으로 단단하여 칼로 자르기도 힘들었다. 속살은 떨떠름하고 톡 쏘는 듯 했다. 미숙(未熟) 바나나는 익은 바나나와 특성이 180도 달랐다.

2019년3월28일 이었다. 퇴근하여 집에 오는 길에 새로 문을 연지 얼마 안 되는 빈 마트(Vin Mart)에 들려 바나나를 사왔다. 저녁식사를 하고 비닐봉지에서 바나나를 꺼내놓고 보니 영수증과 바나나에 붙은 가격이 같지 않았다. 영수증 가격이 비쌌다. 바나나와 영수증을 가지고 빈 마트에 갔다. 마트 점원이 확인하더니 잘 못 되었다며 미안하다고 했다. 그리고 6,000동을 환불해주었다.

재래시장 판매 대 위 바나나

사온 바나나는 푸른색이었다. 한국에서는 노란 바나나만 시장에 유통되지만 베트남에서는 푸른 바나나도 많이 유통된다. 종류에 따라 잘 익어도 바나나 색이 푸르기 때문이다.

그런데 그때 사온 바나나는 잘 익지 않은 바나나였다. 사온 바나나를 먹으려고 껍질을 벗기니 벗겨지지 않았다. 손톱으로 쪼개고 뜯다시피 했다. 그것이 잘 안 되어 할 수 없이 칼로 껍질을 깎으려 했지만 역시 잘 안 벗겨졌다.

바나나 가운데를 칼로 잘랐다. 속살을 조금 떼어서 먹으려 입에 넣었다가 바로 뱉었다. 떫고 톡 쏘고 딱딱했기 때문이다.

미숙과 껍질과 속살

바나나를 자르고 껍질을 깎고 나니 칼과 손엔 즙이 묻어 끈적이고 찐득찐득했다. 물로 씻으니 전혀 씻기지 않았다. 비누로 씻어도 소용이 없었다. 주방용 세정제(洗淨劑)를 묻혀 사포와 때 밀이 수건 등으로 문지르고 닦기를 되풀이 했다. 그랬더니 조금 끈적임이 없어졌다.

한국에서 약8년 동안 식물검역업무를 담당했고, 『식물검역학』대학교재를 출간하고, 대학에서 20여년 식물검역을 강의한 나에게는 이런 사실은 참 흥미로운 발견이었다. 왜냐면 열대과실파리가 덜 익은 바나나에서는 서식하기 어렵다는 것을 직접 가장 현실적으로 체험할 수 있었기 때문이다.

체험만큼 훌륭한 선생이 없음을 뼈저리게 느꼈다.

한국은 익은 바나나 수입을 금지하고 있다. *Ceratitis, Bactrocera* 및 *Anastrepha* 속(Genus) 열대과실파리의 국내침입을 막기 위하여 식물방역법규에 따라 덜 익은 바나나만 수입을 허용하고 있다. 익은 바나나와 달리 덜 익은 바나나에는 이들 수입금지해충이 기생하지 않는 것으로 알려졌기 때문이다.

따라서 한국에서 거래되는 대부분의 노란 바나나는 덜 익은 바나나를 필리핀 등에서 수입하여 후숙(後熟)한 것이다. 수입한 바나나의 숙성(熟成)은 밀폐된 공간에 에틸렌가스를 주입(注入)하여 18℃에서 5일정도 놓아두는 것으로 알려져 있다. 한국에서 바나나의 유통기한이 짧은 이유이다.

살다 보면 우연히 배우는 게 많다. 덜 익은 바나나 즙은 손과 칼에 껌보다 더 강하게 달라붙고 끈적거렸다. 속살은 나무처럼 딱딱하였다. 또 떫고 역겨워서 먹을 수 없었다. 해충이 생활하기 힘들어 보였다. 이러한 덜 익은 바나나의 특성도 정말 우연히 알게 된 셈이다. 이런 때는 관심과 호기심이 큰 몫을 한다. 배우고 익히는 즐거움을 높이기 위해서는 일상의 일에 좀 더 관심과 호기심을 가져볼 일이다.

In life, there are many things to learn by chance. The unripe banana sap clung to the hand and the knife more strongly than gum and was very sticky. The unripe banana was hard like a tree. The flesh was too bitter and venomous to eat. The pests seemed to be hard to live on. I knew such characteristics of these unripe bananas by accident. At this time, interest and curiosity play a big part. To raise the pleasure of learning and understanding, you may need to pay more attention and curiosity to your daily life.

별과일(스타푸르트, *Averrhoa carambola*)

-맛보다 외모로 승부 한다

별과일(Star fruit)은 맛보다는 독특하고 개성 있는 모양으로 승부한다. 사람, 특히 여자는 심성(心性)보다 외모가 더 중요시 되는 세상임을 별과일은 어떻게 알았을까?

별과일은 5개의 능각(稜角)이 뚜렷하고 열매를 가로로 자르면 영락없는 별 모양이다. 샐러드나 요리(장식)에 모양을 내는 데 요긴하게 사용된다. 맛은 시큼하여 별로 임에도 인기 있는 이유다.

화분 재배   가로수

별과일은 팽이밥과(Oxalidaceae)식물로 학명은 *Averrhoa carambola*, 영명은 star-fruit, carambola, five-corner 등이 있다. 베트남어로는 Khe 또는 Khe Ta라고 한다.

이름: 한글 명은 국가표준식물목록에 카람볼라 엘린이라고 되어 있다. 그러나 내가 카람볼라 엘린보다 별과일(스타푸르트)이라고 한 이유는 이렇다.

-열매가 5각 모양으로 횡단면이 영락없는 별 모양이다.

-시큼해서 맛보다 별 모양을 살려 요리장식용으로 사용된다.

-외기 쉽고 부르기 좋다.

-이름에 별이 들어간 과일 하나쯤 있으면 좋을 것 같다.

-영어로도 carambola보다 star-fruit가 널리 쓰이는 경향이다.

-영어 carambola는 녹색에서 노란색의 5각형 열대 과일로 횡단면이 별 모양이어서 별과일이라 부른다는 뜻과 부합된다.

형태와 잎: 자라는 장소에 따라 관목이나 키 작은 열대 상록식물로 키는 1~10m다. 10~20cm 길이의 잎은 홀수깃꼴겹잎으로 어긋난다. 성숙한 잎은 녹색이지만 어린 새잎은 연한 밤색이나 녹자색(綠紫色), 암적색이다.

작은 잎(소엽)은 끝이 뾰족한 타원형으로 어긋나기도 하고 마주나기도 하는데 일반적으로 3~6쌍, 4~15 잎이 달린다. 작은 잎은 빛과 충격에 반응하여, 낮에는 펼쳐있으나 밤에는 접어진다, 소엽 길이는 열매 길이보다 짧다.

어린 잎과 성숙한 잎

꽃: 꽃받침, 꽃잎, 꽃술로 된 양성화로 관찰하였으나 암수딴그루 (Dioecious)라고 하는 자료도 있다. 꽃은 가지 끝, 줄기 심지어 몸통의 잎 겨드랑이 등에서 나온 꽃대에 조밀하게 수십 송이가 핀다. 꽃이 계속해서 오래 피기 때문에 꽃과 열매가 함께 달려 있다.

꽃받침은 5조각이고, 아래는 붉고 위는 흰색에 가깝다. 꽃잎은 5조각이고 자루가 짧고 넓은 주걱 모양이다. 꽃 전체는 작은 종모양 같아 귀엽다. 꽃잎 아래는 붉고 위는 흰색에 가깝고 위 끝은 뒤로 약간 젖혀진다.

암술은 수술 가운데 1개 있고 암술머리는 5개점이 붙어 있는 듯

했다. 수술은 5개로 관찰되었다.

꽃과 열매

열매: 모양은 5개의 깊은 골과 높은 능각이 뚜렷하게 세로로 나 있는 둥근 타원형이다. 크기는 길이6~13cm, 지름(횡단면) 3~6cm다. 초기에는 녹색이나 익으면 노랗거나 오렌지색이다.

열매의 종. 횡단면

열매껍질과 열매살이 한 살로 되어있어 껍질이 벗겨지거나 분리 가 안 된다. 그래서 껍질을 깎지 않고 능각의 위만 살짝 깎아내서 사용한다. 열매살은 즙이 많아 먹으면 시원하고 향긋하나 맛은 시큼하고 별로 다. 1개 열매에 1~10개의 씨가 들어 있다.

가로로 자르면 진짜 별 모양이어서 요리의 시각효과를 북돋우는데 안성맞춤이다. 열매는 모양 값을 톡톡히 한다.

씨: 씨는 납작 도톰한 타원형이며 감 씨와 비슷한 적갈색이다. 크기는 길이6~12mm, 너비3~5mm, 두께1~2mm다. 씨 껍질은 딱딱하나 얇다. 껍질 안의 알갱이는 2조각으로 되어 있다.

씨

별과일나무는 생육환경에 따라 크기는 큰 차이가 난다. 화분에 심으면 1m정도의 작은 나무에서도 꽃이 피고 열매가 달린다. 게다가 잎, 꽃, 열매의 관상가치가 충분하여 분재용 식물로도 괜찮아 보였다. 실제 베트남 현지에서는 화분에 심어 집 앞에 놓아 많이 기르고 있다.

1.속명 Averrhoa(아베로아)는 Al-Andalus 출신 12세기 천문학자, 철학자 그리고 의사인 아라비안 Averroes(유럽문학에서 불러진 이름, 실제 이름은 Abū 'l-Walīd Muḥammad bin Aḥmad bin Rushd임)의 이름을 따서 지은 것이다. 종명 *Carambola*(카람볼라)의 어원은 인도의 산스크리트어 Karmara (Karmaphala), 또는 마라타이어(Marathi) Karambala로 거슬러 올라가며, 여기서 파생된 신 푸른 열매(A sour greenish fruit)를 뜻하는 포르투기어와 스페인어 Carambola에서 유래되었고 1598년에 처음 사용된 것으로 알려져 있다.

2. 자료에는 암수딴그루로 되어 있으나 열매가 달리지 않은 별과일 나무는 보지 못했다. 또 수술 중에는 헛수술(Staminode)이 있고, 암술이 수술보다 긴 것과 짧은 것 2종류가 있다고 하나 이런 것 역시 꽃술이 너무 작아 확인하기가 어려웠다.

3. 열매가 시거나 시큼한 것은 열매에 옥살산(Oxalic acid)이 풍부하기 때문이며, caramtoxin이란 독성물질이 있고 옥살산 농도가 높아져도 독성이 나타난다고 한다.

4.https://en.wikipedia.org/wiki, https://www.nparks.gov.sg, https://www.researchgate.net 등을 참고했다.

불두과(佛頭果, *Annona squamosa*)

-변덕쟁이 과일

열대과일인 불두과는 변덕이 심하다. 덜 익은 열매는 녹색이며 아주 단단하다. 익으면 녹색이 황록색으로 변하고 손가락으로 누르면 들어갈 정도로 부드러워진다. 그러면서 껍질 조각사이의 금이 희어지고 넓어진다. 이때 껍질을 벗기면 껍질 조각이 잘 떨어지며 속살이 하얗고 부드러우며 즙이 많고 달다.

그러다 며칠 지나면 흑갈색으로 변하면서 다시 딱딱해진다. 그러면 껍질도 잘 안 벗겨지고 속살이 암갈색으로 변함과 동시에 즙도 줄어들고 코르크처럼 되며 씨만 수북해져 먹지 못하게 된다. 때문에 실온에서 오래 보관하기 어렵다. 변덕이 심하기론 제일인 과일 같다.

불두과는 포포나무과(Annonaceae)의 열대식물로 학명 *Annona squamosa*, 영명 sugar apple, sweet apple, sweet sop(단즙)이다. 대만, 홍콩과 중국에서는 sek-khia(釋迦-열매모양이 석가모니 머리를 닮았기 때문)나 번여지(番荔枝), 베트남에서는 mãng cầu ta나 na로 불린다.

국명(한글이름): 일부 번여지로 불러지고 있으나 공식적인 한글이름은 아직 없다. 처음엔 감상하는 꽃과 달리 먹는 과일에 부처머리(佛頭)를 붙이기가 어색하고 예의상 맞지 않아서 널이 쓰이는 영어이름인 sugar apple을 번역하여 설탕사과라 했다.

그리고 실제로 이 과일을 먹어보면 설탕을 물에 버무려놓은 듯 달고 속살모양도 설탕 버무림이나 아이스크림과 비슷하여 설탕사과란 이름과도 어울린다. 또 다른 한 가지는 사과가 열대에서는 생산되지 않아 열대에 사는 사람은 사과를 무척 먹고 싶어 하고 좋아하기 때문이다. 옛날에 한국인이 바나나를 먹고 싶어 하였듯이 말이다.

그러나 열매를 보면 볼수록 부처님 머리가 생각났다. 그리고 대만 등에서도 석가나 불두로 부르고 있다. 뿐만 아니라 한국 식물 중에 불두화(佛頭花)가 있어 불두과(佛頭果)로 하는 게 더 좋을 것 같아 불두과로 바꾸었다.

형태: 불두과는 열대 반낙엽성 작은 키 나무나 관목으로 키는 3~5m다. 가지가 많다.

잎: 잎은 어긋나며 긴 타원형이고 주맥과 측맥이 뚜렷하다. 잎 가장자리는 매끄러우나 살짝 물결모양이다. 크기는 길이 5~15cm, 너비2~6cm다. 잎자루는 0.5~2.5cm다.

잎과 줄기   꽃봉오리

꽃: 홑꽃차례(單頂花序) 또는 2~4개의 꽃이 모여 핀다. 꽃은 양성화로 꽃잎(외화피)은 3개이며 피기 직전 꽃봉오리는 아래가 둥글고 위로 갈수록 가는 호리병 같다. 꽃이 피면 위 끝이 3갈래로 갈라져 벌어지나 그 벌어짐은 아주 적어 꽃술이 잘 안 보인다. 암술과 수술 모두 여러 개다. 내화피는 작거나 퇴화되었다고 하나 확인하기 어려웠다. 색은 녹황색이며 크기는 길이1.5~2.5cm다. 특이한 것은 꽃자루가 꽃의 길이와 비슷하거나 약간 길었다.

열매: 취과(聚果, aggregate fruit)로 둥글거나 심장, 또는 짧은 콘 모양이다. 익기 전에는 녹색이나 익으면 녹황색으로 변한다. 열매 껍질은 수십~수백 개의 다이아몬드 형 돌기조각을 붙여 놓은 듯해서 언뜻 부처머리 같다. 크기는 지름(길이)이

5~10cm다. 무게는 100~250g/개이다.

익은 열매

익기 전에는 단단(딱딱)하나 익으면 손가락으로 누르면 들어갈 정도로 물렁해진다. 익을수록 껍질 색은 녹황색이나 연백색이 된다. 껍질은 손으로 떼면 잘 떨어져 벗겨진다. 칼로 깎을 필 요가 없다.

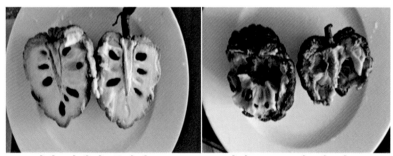
정상 열매의 종단면　　　　썩어 코르크와 된 열

열매를 자르면 열매자루 끝에 창 모양의 흰색(아래 부위 조금
은 갈색) 축이 열매 중간부위까지 들어 있다. 이 축에 씨의
좁은 부위가 붙어 있다.

열매살은 하얀 크림 같고 즙이 많다. 향도 있으며 먹으면 참 달다.
아이스크림 같다. 다만 흠은 씨가 너무 많아 먹을 게 많지 않은 점
이다.

또 다른 흠은 실온에 열매를 놓아두면 며칠 안 가서 부패하게 된다.
잘 익은 것은 일주일 이상 상온 저장이 어렵다. 부패하면 썩는 게
아니라 열매살이 코르크화 되고 색도 갈색으로 변하여 씨만 남아
먹을 수가 없다. 익은 과일을 오래 두면 딱딱해지는 데 이것은 열
매살의 코르크화 때문이다.

씨: 1개 열매에는 20~50개의 씨가 들어 있다. 씨는 도톰한
타원형이다. 색은 검은 색, 흑적색, 적갈색이다. 크기는 길이
1.0~1.5cm, 너비 5~8mm, 두께3~4mm다. 씨의 아래 끝에
는 1~2mm의 털(실)이 달려 있는 데 이것이 열매 중심축에
박혀있다.

씨 껍질은 두께가 1mm정도이며 딱딱하다. 껍질 겉은 매끄러
우나 안쪽은 아주 미세한 가시 털이 나 있어 이것이 씨 알갱
이 속에 박혀 있다.

씨

씨 알갱이는 희거나 누런 색이며, 씹어보니 씁쓰름했다.

불두과는 맛이 좋고 향도 있으나 씨가 많고 보관성이 나쁜 게 흠이다. 따라서 씨의 크기와 수를 줄이고 저장성을 개선하면 사람들로부터 사랑 받는 과일이 될 것이다. 따라서 이 분야의 전문가들이 씨가 적고 오래 보관할 수 있는 품종을 육종해주기를 기대한다.

필자 주

1.https://en.wikipedia.org/wiki를 참고했다.

2. *Annona squamosa*를 영어로 sugar apple이라고 한 이유는 모른다. 다만 열대지역사람들은 사과를 무척 좋아한다. 옛날 우리가 바나나를 좋아하고 먹고 싶어 하듯 열대에 사는 사람은 사과를 귀하게 여기고 먹고 싶어 한다. 그래서 달고

사과처럼 둥글어 설탕사과로 했을 것이라고 필자는 추정할 뿐이다. 그러나 식물분류학상으로는 목, 과, 속이 모두 달라 사과와 아무런 관계가 없다.

아보카도(*Persea Americana*)

-온몸에 싹을 내는 나무, 열매모양과 색은 다양해

아보카도 나무는 온몸에서 싹이 나며 생육이 왕성하다. 열매는 긴 표주박, 서양배, 달걀, 공 모양 등 여러 가지다. 열매크기는 길이(지름) 5~20cm까지 차이가 크다. 열매 겉껍질은 매끄러운 것도 있는가 하면 까칠한 것도 있다. 열매 색은 녹색, 자색, 갈색, 흑색, 연녹색 등 다양하다. 열매 크기에 비해 씨가 크다.

아보카도는 녹나무과(Lauraceae)의 열대상록과일나무로 학명은 *Persea americana*이며 동의어가 20개이상으로 많다. 영명은 avocado, avocado pear, alligator pear, 베트남명은 trái bơ(thực vật)이다.

학명의 동의어가 많은 이유: 문헌이나 자료에 여러 개의 학명이 나와 있는 이유는 아직 찾지 못했다. 그러나 필자가 추정하기로는 아보카도의 식물학적 분류, 식물특성, 품종 등에 대한 연구가 많이 이루어지지 않은 탓으로 보인다. 그래서 동의어 학명 중에 ❶종(species)명이 다른 게 많은가 하면 ❷변종 또는 품종(종명 다음에 var. 표시)도 많고 ❸심지어 속명이 다른 것도 있다. 이것은 아보카도가 아직 정확하고 정밀한 식물분류가 이루어지지 않았다는 반증이다.

크기와 수형이 다양함

형태와 잎 등: 아보카도는 열대상록활엽수로 키가 5~20m로 다양
하다. 나무 형태는 몸통이 굵고 큰 방추형(紡錘形)이나 낮은 주간형
(主幹形)이다. 잎은 긴 타원형이며 어긋나고, 길이는 10~15cm다.
색은 녹색이나 새잎은 붉은 빛이 난다.

꽃: 꽃차례는 총상꽃차례이며, 꽃은 연 노란 색이고 꽃부리(花冠)가 5~10mm로 작아 잎과 같이 있는 큰 나무에서는 눈에 잘 띄지 않는다. 암술, 수술이 같이 있는 양성화이며, 암술1, 수술6개다. 수술대 아래에 노란 헛 꽃밥이 각1개씩 있다. 화피(꽃잎 겸 꽃받침)는 6개다.

꽃

열매 색과 모양이 다양함

열매: 열매는 공, 달걀, 서양배, 긴(표주박) 등 모양이 다양하다. 크기 역시 길이(지름)가 5cm부터 20cm까지 차이가 크다. 열매 색 또한 녹색, 연녹색, 자색, 흑색, 갈색 등 여러 가지가 있다. 열매에는 1개 씨가 있다. 열매에 비해 씨가 큰 것이 특이하다.

씨: 씨는 달걀, 원추모양이다. 씨 껍질은 갈색, 암갈색으로 미농지(美濃紙)처럼 얇고 잘 벗겨진다. 냉장고 안에서도 발아하여 싹이 난다. 생명력이 엄청 강하다.

껍질이 붙은 것과 벗겨진 씨

왕성한 생육과 생존전략: 아보카도나무는 흙, 물, 빛이 있는 곳이면 어디서나 잘 자란다. 나무의 온 몸에서 싹이 나고 자란다. 생육이 왕성하여 생육조건이 좋으면 열매를 맺지 않고 영양생장만 하는 경우도 있다. 그런 아보카도나무가 내가 살았던 르완다 집 옆에 실제로 있었다.

2013.04.05일경에 나는 인부를 사서 내 집 옆의 아보카도나무의 가지와 잔 줄기를 다 쳐냈다. 생존에 위협을 느끼게 해 나무의 종족보존본능을 일깨우기 위해서였다. 가지와 잔 줄기를 잘라내고, 나무 아래를 빙 둘러가며 고랑을 파서 나무 있는 곳으로 영양분이 많이 들어가지 못하게 하고 거름도 주지 못하게 했다.

줄기를 잘라낸 9일뒤 싹 난 나무, 3월 뒤 잎 등이 무성해진 나무

아보카도나무가 생존 위협을 느끼도록 하기 위해 주간(주간(主幹)만 남기고 대부분의 줄기와 가지를 잘라낸 지 1년5개월이 되는 2014.09월부터 아보카도나무엔 꽃이 피고 열매가 열리기 시작했다.

줄기를 잘라낸 2년5월 뒤에 수확한 아보카도

그 뒤 2015년09월에는 열매가 많이 열려 수확하여 나누어 먹었다. 해를 거듭해 계속 열매가 많이 열린 것을 보고 학생들과 교직원들은 놀라고 신기해했다. 식물은 자기가 살날이 많지 않다는 위기를 느끼면 열매를 맺어 씨를 생산하는 일에 올인 한다는 사실을 증명한 셈이다.

아보카도의 이런 생존전략은 사람도 마찬가지다. 옛날 선조들이 부모가 병들어 살날이 얼마 남지 않은 것을 알면 자녀들을 어린 나이에 결혼시켜 애를 낳게 하거나, 부부 중에 한 쪽이 아프면 어떻게 해서라도 빨리 애를 낳으려 했다. 생존에 위협을 느끼면 생명체는 모든 수단을 다 동원하여 대를 잇기 마련이다.

살면서 겪는 고통은 견딜 때 힘들어서 그렇지, 그런 고통은 동식물 모두가 종족을 보존하며 성숙하는 데 필요하다. 시련 없는 삶이 꼭 좋은 것만은 아니다. 따라서 살아가는 동안에 닥치는 어려움이나 위기를 즐기며 성숙하는 기회로 만들면 어떨까?

1.이 글은 아프리카 르완다에서 관찰한 아보카도에 대한 내용이다. 베트남에서는 아보카도를 사서 먹기는 했지만 아보카도 나무를 많이 보지 못했기 때문이다.

2. 아보카도의 맛과 씨의 발아 등을 알고 싶으면 책 『르완다-아프리카의 심장. 2016』을 참고하면 좋다.

용과(龍果, *Selenicereus undatus*)

-씨랑 먹어야 제 맛, 씨는 건강에도 좋아

대부분의 열매는 씨를 빼내고 먹는다. 그러나 용과(龍果)는 씨랑 함께 먹어야 제 맛이다. 씨랑 먹어도 이질감이나 불편함이 전혀 없으며 오히려 맛이 더 좋고 몸에 이롭기 때문이다. 게다가 수백 개의 깨알 같은 작은 씨가 열매살(果肉) 전체에 골고루 박혀 있어 씨를 빼내고 먹기가 물리적으로 거의 불가능하다.

학명은 *Selenicereus undatus*, 영명은 Dragon Fruit, Pitaya, Pitahaya이며, 베트남명은 thanh long이다. 속명 *Selenicereus*는 달을 뜻하는 그리스어 selene에서, 종명 undatus는 등골의 물결모양을 뜻하는 라틴어에서 유래되었다. 속명은 예전엔 삼각주선인장 속 *Hylocereus*였으나 2017이후 달빛선인장 속 *Selenicereus*로 통합하여 재 분류되었다.

한국명은 아직 공식적인 이름은 없지만 대체로 용과로 부르고 있다. 줄기가 용(龍)을 닮아 열매가 달린 모습이 용이 여의주를 물고 있는 모습 같다 하여 영명이 Dragon fruit이며, 영어이름이 합리적이어서 한글로 번역하여 용과로 부르고 있다. 열매에 용의 비늘 같은 포가 붙어 있어서 용과라 했다는 설도 있다.

용과는 선인장과(Cactaceae, 仙人掌科)의 덩굴성 다육식물(多肉

植物)이다.

종류: 열매껍질 색, 열매살(果肉)색에 따라 크게 4가지가 있다. 껍질이 붉고 속살이 하얀 흰용과-*Selenicereus undatus*, 껍질과 속살이 붉은 빨간용과-*Selenicereus tricostatus*, 껍질이 노랗고 속살이 하얀 노란용과-*Selenicereus megalanthus*, 껍질이 파랗고(Blue) 속살이 하얀 파란용과가 있다.

형태와 잎 등: 열대 다육식물로 줄기는 일반적으로 3개의 능각이 있으며, 능각 가장자리는 물결모양을 이룬다. 줄기는 옆으로 기거나 축 늘어지는 모양을 하며 약간의 덩굴성으로 기근(氣根)을 내어 기어오르기도 한다.

묘를 식재한 재배포장(네팔, 2022.12.19)

일반 선인장처럼 잎은 퇴화되어 없고 가시와 털이 있다. 줄기는 엽록소가 있어 녹색이며 줄기에서 탄소동화작용을 하는 것으로 보인다. 길이는 2~6m, 두께(한 변의 너비)는 5~10cm다. 줄기 색은 녹색이며 오래되면 녹회색~녹갈색으로 변한다.

흰용과 꽃(출처:https://worldofsucculents.com)

꽃: 꽃은 꽃잎, 암술, 수술, 포(苞)로 되어 있다. 꽃잎은 희고 수술은 꽃밥이 노란색에 가깝고 여러 개여서 노랗게 보인다. 암술은 1개이나 암술머리가 여러 갈래로 갈라져 꽃 모양을 하고 있어 꽃을 더운 아름답게 한다.

꽃은 줄기 혹 사이(잎이 있는 일반식물의 잎겨드랑이(葉腋)로 보면 됨)에서 피며 크기는 길이10~25cm로 크다.

열매: 열매는 둥근 타원형이며 길이5~15cm, 지름4~10cm다. 열매 겉엔 작은 포가 비늘처럼 여러 개 붙어 있다. 그 포의 끝부분은 수확 후에도 오래까지 녹색을 유지하고 있는데 이는 탄소동화작용을 하여 열매에 양분을 공급해주어 후숙(後熟)을 돕기 위

해서라고 추정한다. 껍질(果皮) 색은 빨강, 노랑, 파랑이 있으나 베트남 시장에서 거래되는 것은 거의가 빨간색이다. 열매살은 흰색과 빨간색이 있으나 흰색이 많다.

향이 은은하며, 즙이 많고, 부드럽고 연하며, 단맛과 신맛이 적당히 섞여 있어 맛있다. 사각거림은 키위 보다는 더하며 배 보다는 덜하다.

재래시장에서 거래되는 용과,   붉은 용과 종단면과 초록색 포

열매살에는 수백 개의 작은 씨가 골고루 박혀있어 씨를 골라내고 먹기는 거의 불가능하다. 씨와 같이 먹을 수밖에 없는 줄을 용과는 알고 있는지 씨와 함께 먹어도 아무 이질감이 없다. 오히려 씨랑 함께 먹으면 맛이 더 좋고, 씨에는 사람에게 좋은 양분이 많다니 신비할 따름이다.

씨와 양분: 씨는 검은 참깨처럼 보이나 크기는 참깨보다 작다. 씨100g에는 단백질23~29g, 지방18~28g, 탄수화물44~49g이

함유되어 있으며 오메가계통의 리놀렌산, 아라키돈산, 올레산 등의 필수지방산이 풍부하며 항산화 효능이 좋다는 연구결과도 있다.

흰 용과 횡단면과 씨   붉은 용과 횡단면과 씨

열매와 씨를 알기 위해 식물을 관찰하고 조사하다 보면 식물의 지혜로움에 깜짝깜짝 놀라곤 한다. 용과도 그렇다. 물이 부족한 사막에서 살아남기 위하여 잎을 퇴화시켜 가시 등으로 만들고 줄기에 엽록소를 함유하여 탄소동화작용을 하면서 꽃을 피우고, 사과나 배처럼 크고 무거운 열매를 맺고 참깨 같은 작은 씨를 생산한다.

그뿐 아니다. 대부분의 식물 씨는 딱딱하다. 그리고 일부 과일의 씨에는 약간의 독성물질이 있다. 예를 들어 사과 씨에는 독성물인 시안화물(청산)이 들어 있다. 그래서 씨를 그대로 먹기가 안 좋고 먹으면 몸에 안 좋다. 그런데 용과 씨에는 독성물질은 없고 인간에게 좋은 필수지방산이 다량 들어 있다. 뿐만 아니라 딱딱하지 않고 오히려 잘 씹어지며, 씹으면 톡톡 터지는 느낌이 있어 씨랑 같이 먹을수록 좋다. 그 이유가 궁금하다. 물론 사람을 위한 것만은 아닐 테고 용과 자신을 위해서 그랬을 텐데 왜 그랬을까?

필자 주

1.https://en.wikipedia.org,https://worldofsucculents.com,
https://www.nparks.gov.sg,https://worldofsucculents.com
을 참고했다.

2.Chemah T.C. et al. Determination of pitaya seeds as a natural antioxidant and source of essential fatty acids. International Food Research Journal 17: 1003-1010(2010) 의 용과 씨의 양분함량과 지방산종류별 함량은 표1, 표3과 같다.

Table 1. Proximate composition of pitaya seeds (g/100 g)

Parameter	H. polyrhizus	H. undatus	S. megalanthus
Protein	26.3 ± 0.2[b]	23.1 ± 0.1[c]	28.6 ± 0.4[a]
Oil	22.8 ± 0.5[b]	27.5 ± 1.0[a]	18.8 ± 0.8[c]
Ash	6.1 ± 0.0[a]	3.1 ± 0.1[c]	3.8 ± 0.1[b]
Carbohydrate	44.8 ± 0.3[b]	46.3 ± 1.1[b]	48.7 ± 1.1[a]

Each value is mean of three determinations (n=3) p < 0.05.
Carbohydrate were determined by difference.

Table 3. Fatty acid composition of three types of pitaya seeds oil (g/100g of total fatty acid)

Fatty acid (%)	Hylocereus undatus	Hylocereus polyrhizus	Selenicereus megalanthus
Lauric C $_{12:0}$	0.0^{cA}	0.0^{gA}	0.0^{dA}
Myristic C $_{14:0}$	0.2^{cAB}	0.2^{gA}	0.1^{dB}
Palmitic C $_{16:0}$	13.7^{cB}	15.9^{cA}	14.4^{bAB}
Palmitoleic C $_{16:1}$	0.6^{cB}	0.8^{fA}	0.4^{dC}
Stearic C $_{18:0}$	4.7^{dA}	4.6^{dA}	2.2^{cB}
Oleic C $_{18:1}$	23.3^{bA}	25.5^{bA}	13.9^{bB}
Linoleic C $_{18:2}$	53.8^{aB}	48.7^{aB}	65.4^{aA}
Arachidic C $_{20:0}$	1.2^{cdA}	1.4^{eA}	0.8^{dB}
Behenic C $_{22:0}$	1.2^{cdA}	1.4^{eA}	1.3^{cdA}

Each value is the mean of replicate (n=2). Different letter (small case) within the same column are signific different (p<0 05). Different capital letter within the same row are significantly different.

유과(乳果 *Chrysophyllum cainito*)

-젖 같은 즙이 나는 과일, 잎은 앞면 초록 뒷면 황갈색

유과(乳果)를 자르면 젖 같은 즙이 나온다. 열매를 주무른 뒤 잘라서 열매살을 긁으면 보들보들한 떡을 얇고 잘게 썰어 우유와 섞어 으깨 놓은 듯하다. 이것을 스푼으로 떠먹으면 먹는 재미와 함께 맛도 즐길 수 있다. 잎은 앞뒤 색이 전혀 달라, 앞(위)면은 초록이고 뒤(아래)면은 황갈색이다. 씨는 열매와 달리 쓰고, 씹어 먹고 나니 입안이 얼얼하고 아렸다.

유과는 사포타과(Sapotaceae)식물로 학명 *Chrysophyllum cainito*, 영명은 milk fruit, breast milk fruit, star apple, purple star apple, golden leaf tree, cainito, caimito, abiaba, estrella, aguay로 많다. 베트남어로는 vú sữa(브스 아)다. 이것은 milk fruit이라는 뜻이다. 중국에서는 금성과 (金星果)라고 한다.

한글명: 아직 공식적인 한글명은 없다. 다만 영명의 star apple과 milk fruit을 한글 소리 나는 대로 스타 애플, 밀크 푸르트로 불리고 있다.

한글 이름을 과일의 형태에 중점을 두면 열매가 둥글고 색이 적자색이며 씨가 들어 있는 과일의 횡단면이 별 모양을 하고

있어 별사과(스타 애플)가 알맞고, 형태보다 특성에 중점을 두면 특이하게 열매에서 독특하게 젖 같은 과즙(果汁)이 나와 유과(乳果)가 알맞다. 필자는 두 이름 중에서 식물의 구별성, 희소성(과일 이름에 별이 들어간 이름은 여럿 있으나 젖이 들어간 것은 거의 없음) 측면에서 별사과 보다는 유과를 택했다.

형태와 잎: 열대상록활엽 큰키나무(교목)로 20여m까지 자란다. 잎은 홑잎(單葉)으로 어긋나며 긴타원형으로 길이 5~15cm, 너비3~5cm다. 잎의 앞뒤 색이 판이하게 다른 양면잎(兩面葉)이다. 잎 앞면은 초록색이며, 뒷면은 갈색 빛이 드는 금색이나 갈황(褐黃)색이다. 바람이 불면 잎 앞뒤가 일렁거려 아름답다. 때문에 멀리서 잎만 보고도 유과나무를 쉽게 알아볼 수 있다.

한베인큐베이터파크(KVIP) 본관의 유과나무

앞뒤 색이 다른 잎

꽃: 잎겨드랑이에서 짧은 꽃대가 나오고, 꽃대 축에 몇 군데
에 2~5개가 모여 짧은 꽃대가 나와 핀다.

꽃

꽃은 꽃받침, 꽃잎, 암·수술이 있는 갖춘 양성화다. 크기는
화관이 5mm정도로 작아 자세히 보지 않으면 큰 나무에 핀
꽃은 보기 어렵다. 꽃받침 조각은 원형에 가깝고 5~6개며 갈

색이다. 꽃잎은 5~7개며, 색은 연노랑, 연녹색이다. 암술은 1개로 암술머리는 여러 개로 갈라져 별 모양이다. 수술은 수술대가 아주 짧아 꽃잎에 꽃 밥이 1개씩 붙은 듯하다.

열매: 열매는 공처럼 둥글고 겉은 매끄럽다. 크기는 지름이 7~10cm다. 초기에는 녹색이나 연녹색이다 익으면 대체로 적자색으로 변하나 품종에 따라 연녹색이기도 하다.

껀터 시장에서 판매되는 유과

잘 익은 열매는 손안에 넣고 주무르면 말랑말랑하게 된다. 이런 다음 칼로 잘라서 스푼으로 과육을 떠먹으면 좋다. 마치 떡을 얇고 잘게 썰어 우유 속에 으깨놓은 것 같고 맛도 좋다.

열매의 횡단면엔 씨가 박혀 있는 별 모양이 있다. 이 모양을 잘 보려면 열매 중앙보다는 다소 위나 아래를 자르는 것이 좋다. 열매를 자를 때 씨가 잘라지는 것을 피할 수 있기 때문이다.

열매의 횡단면   열매살과 유즙(乳汁)

▲열매 성분: 열매 과즙은 외견상 우유를 닮았을 뿐 아니라 영양도 우유와 비교될 정도다. 특별히 단백질, 칼슘, 인, 비타민이 풍부하다. 우유와 유과의 성분 비교는 아래 표와 같다.

표. 우유와 유과(열매)의 성분비교(100g당)

성분	우유	유과	성분	우유	유과
수분	88.32g	78.4~85.7g(%)	칼슘	11%	7.4~17.3mg
칼로리	60kcal	67.2kcal	트립토판	75mg	4mg
단백질	3.22g	0.72~2.33g	메티오닌	75mg	2mg
탄수화물	5.26g	14.65g	라이신	140mg	22mg
(총)당	5.26g	8.45~10.39g	리보플래빈	0.183mg	0.013~0.04mg
인	143mg	15.9~22.0mg	티아민	0.044mg	0.018~0.08mg

출처: 우유-https://nutri.fandom.com/ko/wiki
     유과-https://www.hindawi.com/journals/ecam/2020

씨: 도톰한 긴 타원형이며 길이1.5~2.5cm, 너비1.0~1.5cm, 두께 2~4mm다. 색은 갈색, 흑갈색, 흑색이다. 씨 껍질은 단단하고, 알갱이는 연 노랗다. 씨의 하얀 부분은 과일의 중심축에 붙은 자리다. 이때 씨는 세로로 중심축을 한 겹으로 빙 둘러 들어 있다.

맛을 보려 씨 알갱이를 입안에 넣고 씹어 먹었다. 쓰고, 독했다. 입안이 얼얼하고 아렸다. 남은 것을 빨리 뱉어내고 물로 입안을 헹구어낸 뒤 소금물로 씻었다.

씨

베트남에서 내가 근무한 한-베 인큐베이터 파크(KVIP) 본관 건물 안 정원에 큰 유과나무가 있었다. 그런데 그 나무는 2년 동안 열매를 맺지 않았다. 이유는 그 유과나무 생육조건이 너무 좋아 영양생장만 하고 생식생장을 하지 않아서라고 추정한다. 그래서 기관과 상의해서 가지도 쳐 주고, 물과 비배(肥培)관리를 나쁘게 하여 생육환경을 열악하게 해보며 열매를 맺는지 보고 싶었다. 하지만 더 오래 있지 못하여 그리 해보지 못한 게 아쉽다.

다만 르완다에서는 열매를 맺지 않았던 아보카도 나무를 생육 조건을 나쁘게 만들어 주어 열매를 맺게 한 일이 있었다. 식물은 생육조건이 나쁘거나 생명의 위기에 처하면 대를 잇기 위하여 가능한 일찍 그리고 많이 열매와 씨를 생산한다.

이런 현상은 사람과 동물도 마찬가지다. 죽음을 앞둔 부모가 자식을 일찍 결혼시켜 아이를 빨리 많이 낳게 하는 것도 같은 이치다.

필자 주

1. https://en.wikipedia.org/wiki, https://nutri.fandom.com/ko/wiki, https://www.hindawi.com/journals/ecam/2020을 참고했다.

자바애플(*Syzygium samarangense*)

-뿌리만 빼고 나무 어디서든 꽃피고 열매 맺는 열매

자바애플은 뿌리만 빼고 나무의 잎 겨드랑이, 가지, 줄기, 몸통 어디서든 꽃이 피고 열매를 맺는다. 특이한 것은 껍질을 깎거나 벗겨내고 먹는 대부분의 과일과 달리 자바애플은 껍질째 먹는다. 껍질이 얇고 속살과 한 몸처럼 되어 있기 때문이다. 열매는 수분이 많고 연하여 먹으면 시원하고 깔끔하다. 씨를 보기는 아주 어렵다.

자바애플은 도금양과(Myrtaceae, 桃金孃科)에 속하며 학명은 *Syzygium samarangense*로 동의어가 *Myrtus samarangensis* 등 10여개나 된다. 영명은 java apple, wax apple, wax jambu, love apple, semarang rose apple이다. 베트남에서는 water apple로 많이 부른다.

공식적인 한글명은 아직 없으나 자바애플로 불리고 있다. 달리 이 보다 더 알맞은 한글이름이 떠오르지 않아 우선 이름을 자바애플로 했다.

형태와 잎: 열대상록활엽수로 키는 3~15m다. 잎은 타원형으로 길이5~20cm, 너비3~10cm다. 중앙에 세로로 주맥이 1개 있고, 측맥은 어긋나 있다. 잎을 문지르면 연한 향이 나기도 한다.

몸통부위에 꽃술이 진 꽃   가지에 주렁주렁 달린 열매

꽃: 꽃은 뿌리만 빼고는 어디서든 핀다. 잎겨드랑이, 가지, 줄기
는 물론 몸통(Trunk)에서도 꽃이 피고 열매를 맺는다. 꽃술이 꽃
의 아름다움을 더욱 돋보이게 한다.

꽃술로 더 아름다운 꽃

꽃은 꽃받침, 꽃잎, 암술과 수술이 있는 완전 갖춘 양성화다. 색은 흰색이나 연 노란 흰색이다. 크기는 화관(수술이 퍼진 것 포함)은 2~4cm다.

꽃받침은 원통이며 위 끝은 4개의 얕은 물결모양이다. 꽃잎은 둥근 타원형이며 4개다. 수술은 수십 개로 많으며 길이1~3cm다. 암술은 1개며 수술보다 굵고 약간 길다.

열매: 열매는 (긴)종 모양이며 끝은 +자형으로 움푹 들어가 있다. 색은 초기엔 녹색(흰색)이다가 익으면서 붉은 색으로 변하여 익으면 대체로 빨갛다. 크기는 길이3~6cm, 지름(두께)4~6cm다. 껍질은 열매살과 한 살이 되어 분리가 잘 안 되고 아주 얇다. 열매는 연하고 부드럽고, 대체로 희며 수분이 많다.

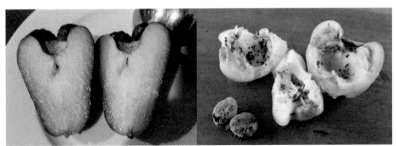

열매 종단면(씨가 없다)   벌레 먹은 열매 속과 씨

베트남에서는 자바애플을 물사과(Water apple)라 하고, 그냥 먹

기보다는 일반적으로 소금을 찍어 먹는다.

씨: 둥글고 지름5~10mm다. 색은 검다. 1개 열매에 1~2개 있다. 그러나 씨가 퇴화되거나 성숙하지 않아서 그런지 아니면 다른 이유가 있는지 모르지만 씨 없는 열매가 태반이다.

자바애플 열매가 익을 무렵에 큰 나무 아래에는 수백 개의 열매가 떨어져 나뒹굴었다. 자바애플은 그다지 맛이 없어서 그런지 열매가 떨어져도 주어 가는 사람이 거의 없기 때문이다.

나무 아래 떨어진 많은 열매

그런데 말이다. 그곳에는 유난히 벌레가 많고, 들짐승이 많았다. 자바애플은 맛이 없어 사람에게는 버림 받지만, 덕분에 벌레, 새, 들짐승에게 자신의 주변을 먹이 걱정 없는 동물의 낙원으로 만들어주고 있었다. 자바애플은 과일로서뿐만 아니라 지구의 생태계 보전에 한 몫을 톡톡히 하고 있었다.

1.https://en.wikipedia.org, https://www.nparks.gov.sg 를 참고했다.

잭푸르트1(*Artocarpus heterophyllus*)
-암꽃과 수꽃을 어떻게 구별할까?

잭푸르트는 암수한그루지만 꽃은 단성화로 암꽃과 수꽃이 다르다. 낱꽃(floret) 하나하나는 너무 작아 눈으로는 보기 어렵고, 꽃 같지도 않다. 때문에 암꽃과 수꽃의 구별이 어렵다. 반면에 인공수분과 효율적 과수원관리로 생산성을 높이려면 암꽃과 수꽃의 구별이 필요하다.

필자가 조사하고 관찰한 결과, 그리고 현지인들과의 논의내용을 중심으로 정리한 잭푸르트 암·수꽃의 구별방법은 아래와 같다.

암꽃과 수꽃

표1. 잭푸르트 암꽃과 수꽃의 차이점

	암꽃	수꽃	비고
개화시기	수꽃보다 늦다	암꽃보다 빠르다	꽃피는 위치가 같을 경우
꽃대 (Peduncle)	수꽃보다 짧고 굵다	암꽃보다 길고 가늘다	꽃자루(Pedicel)는 없다
위치	몸통과 큰 줄기에서 나온 짧고 굵은 가지의 꽃대가 나와 꽃대축에 핀다.	암꽃 사이나, 줄기와 가지의 잎겨드랑이서 꽃대가 나와 꽃대축에 핀다.	
이삭크기와 모양	수꽃보다 크고 둥근 타원형이다. 길이5~15cm. 지름3~4.5cm	암꽃보다 작고 긴 타원형이다. 길이3~10cm. 지름1~3cm다.	꽃차례는 육수화서. 일부는 두상화서로 봄
이삭 결	거칠고 오돌토돌하다	매끄러운 편이다	
색	꽃가루받이 전엔 청록색에 가깝다.	꽃가루 탓인지 누런색에 가깝다.	
총포(總苞)	꽃대 위와 꽃차례 아래 사이에 총포가 뚜렷하다.	총포가 없거나 희미하다	총포는 두툼한 원형으로 가장 자린 물결모양

잭푸르트 꽃차례는 육수꽃차례(肉穗花序, Spadix)로 보인다. 그러나 일부 자료에는 머리꽃차례(두상화서)로 되어있다. 열대지역 현지인들은 관습과 경험에 의거 암꽃과 수꽃을 가리고 있었다.

잭푸르트 꽃가루받이는 곤충이나 바람에 의해서 이루어진다. 꽃이 작고 보잘 것이 없지만 곤충이 모여드는 이유는 향기와 꿀 때문으로 보인다. 꽃가루받이가 끝나면 암꽃은 열매로 성숙하지만 수꽃은 전체가 말라 시들어 떨어진다.

노동력이 충분하고 고품질의 잭푸르트를 생산하고 싶으면 인공수분을 한다. 수꽃은 만지면 손에 꽃가루가 묻거나 아래로 떨어질 정도로 꽃가루가 많고 잘 떨어진다. 그래서 농가에서는 수꽃을 따서 암꽃에 문질러 인공수분을 한다.

잭푸르트 묘목은 심은 지 약2년이 되면 꽃이 피는 데 대체로 처음 피는 꽃은 수꽃이라고 한다.

어린 나무

잭프루트는 열매는 세상에서 제일 크지만 낱꽃은 너무 작아 눈으로 보기 힘들다. 뿐만 아니라 꽃이라 부르기에도 민망할 정도로 꽃은 전혀 아름답지 않다. 그래도 곤충이 꾀는 것은 다른 열대 꽃에 비해 향기가 많기 때문이다. 다 갖추지 않아도 생존하는 데 별 지장이 없는 것은 사람이나 동물이나 식물이나 마찬가지다. 다 갖추면 좋겠지만, 그렇지 못할 바엔 한 가지라도 똑 부러지게 갖추는 게 생존에 유리하기 때문이 아닐까?

필자 주

1. 잭푸르트는 늘푸른큰키나무로 뽕나무과(Moraceae)식물로 학명 *Artocarpus heterophyllus*, 영명 Jackfruit이다. 한국명은 국가표준식물목록에 추천 명이 잭푸르트로 되어있다.

2. 잭푸르트 꽃차례는 육수화서로 보이는데 영어로는 거의가 이삭(Spike)이나 그냥 열매(Fruit)로 표기한다. 이것은 낱꽃이 너무 적은데다 수십 수백의 낱꽃이 긴 달걀형 꽃대 축에 빽빽하게 붙어 있기 때문이라고 추정한다.

3. 필자는 영어 Spike(이삭)는 꽃대와 꽃대 축(이삭중심축)에 핀 꽃을 총칭하는 것으로 보았다.

4. https://www.cabi.org/isc/datasheet/1832, http://08hachi.blogspot.com, https://en.wikipedia.org/wiki/Jackfruit를 참고했다.

잭푸르트2(*Artocarpus heterophyllus*)

-씨는 열매 속에서조차 뿌리를 내고 싹을 만든다

사다가 오래 놓아둔 잭푸르트 열매를 먹으려고 잘랐다. 신기하게
도 몇 개의 씨는 뿌리가 나고 싹까지 만들어져 있었다. 씨의 생
명력의 대단함에 놀랐다.

열매 속에서 뿌리를 내고 싹을 만드는 씨

잭푸르트 열매는 세상에서 제일 큰 열매로 무게55kg, 길이90cm,
지름50cm가 되는 것도 있단다. 나는 25kg이 되는 열매를 들어
보고 잘라서 먹어보았다. 모양은 양 끝이 완만한 긴 럭비공을 닮
았고 겉에는 수십 수백의 끝이 뾰족한 돌기가 있다.

잭푸르트 씨는 둥근 타원형으로 큰 땅콩을 연상시킨다. 씨를 삶
았더니 빨간 물이 우러났고, 먹어보니 단맛이 덜한 밤 같았다.

열매: 수십 수백 개의 꽃이 빽빽하게 모여 피어 하나의 열매가 된 집합열매(Multiple fruit, 集合果, 多花果)다. 보통 나무와 달리 열매는 나무 몸통이나 큰 줄기에 달린다. 열매가 크고 무겁기 때문이다.

모양은 위아래가 완만한 둥글고 긴 공 같으며, 초기에는 녹색이나 황록색이고 익으면 누런색이나 황갈색으로 변한다. 겉은 딱딱하며, 6각뿔에 가까운 끝이 뾰족한 돌기로 덮여 있다. 크기는 대체로 길이20~40cm, 지름15~25cm, 무게5~20kg이다.

시장출하하는 잭푸르트

열매 표면

열매는 가운데에 세로로 3~10cm 굵기의 섬유질의 푸석푸석한 하얀색의 열매축(꽃대축)이 있고, 이 축에 수십~수백 개의 작은 열매(瘦果, Achene)가 붙어 있다. 작은 열매는 타원형이나 거꾸로 달걀형이며 길이 5~12cm, 지름(두께)3~7cm이며 그 안에 1개의 씨가 들어있다. 우리가 먹는 것은 그 작은 열매에서 씨를 빼낸 육질씨껍질(Aril)이다.

열매자루(대)는 굵은 칡덩굴이나 등나무 줄기처럼 탄력성과 유연성이 있으며, 굵고 질기며 강하다.

열매를 자르면 하얗고 끈적거리는 즙액이 나온다. 이것은 라텍스(Latex)로 알려져 있다. 1개 열매에는 수십~수백 개의 씨가 들어 있다.

씨: 씨는 작은 열매와 한 몸으로 육질씨껍질(우리가 맛있게 먹는 노란 육질임, Aril, Seed coat, Testa)과 일반적으로 씨라고 하는 단단한 땅콩모양의 막으로 생긴 씨 껍질(tegmen)로 쌓인 배유(胚乳)와 배(胚)로 되어 있다. 작은 열매와 열매 사이에는 섬유질의 질기가 납작한 긴 줄 모양의 과육(果肉, 미성숙한 꽃덮이, 花被)이 들어 있다.

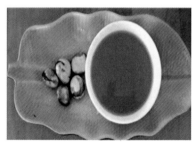 

삶은 씨와 우러난 빨간 물   적갈색은 하얀 막이 벗겨진 씨

단단한 땅콩 모양의 씨는 길이3~4cm, 지름1.3~1.7cm이고 희

다. 겉은 매끄럽고 미끄러우며 마르면 플라스틱 같은 얇은 흰색 막이 분리된다. 이것을 벗겨내면 적갈색이다.

씨를 삶았더니 빨간 물이 우러났다. 속은 밤처럼 희고, 먹어보니 달지 않는 것 빼고는 밤 맛과 비슷했다.

집에 보관하면서 잭푸르트를 먹었는데, 열매 안에서 몇 개의 씨는 뿌리가 나와 있었다. 게다가 씨가 쪼개져서 보았더니 떡잎이 다 생겨 있었다. 전혀 예상하지 못한 일이었다. 놀랍고 신기했다.

맛: 부드럽고 향도 좋다. 씹는 질감과 씹을 때 나오는 적당량의 촉촉함도 좋다. 너무 달지도 않고 그런다고 밋밋하지도 않고 알맞게 달콤새콤한 맛도 좋다.

마트(시장)에서 열매는 65,000VND(약3,000원)/kg이어 비싸지 않다. 집에서 손질하기 싫으면 먹기 좋게 육질만 발라 놓은 것을 사면 그만이다. 베트남에서는 요즘엔 잭푸르트 건조가공품도 마트 등에서 사서 먹을 수 있어 좋다.

잭푸르트는 얼마나 살고 싶었으면 열매 안에서까지 뿌리를 내고 새싹을 만들었을까? 잭푸르트에겐 살고 싶은 욕망, 어떻게 해서라도 살아 대를 잇고 싶은 본능보다 절실한 것은 없었던 것 같다. 맞을 거야. 아니 맞다. 생명체에게 살아 후대를 잇고 싶은 본능

(욕망)보다 강한 것은 세상에 없을 테니까.

필자 주

1.https://en.wikipedia.org, https://pediaa.com를 참고했다.

잭푸르트3(*Artocarpus heterophyllus*)

-잭푸르트에 대한 한 가지 사실과 한 가지 가설

한 가지 사실은 잭푸르트 열매 등을 자르기 전 사용하는 칼이나 손에 코코넛유(Oil)를 바르면 끈적거리는 흰 즙액(汁液)이 묻는 것을 줄여 주고, 묻어도 제거하기 쉽다는 것이다. 한 가지 가설은 잭푸르트 열매는 잎에서 만든 양분보다는 흙에서 빨아들인 양분의 영향을 더 받기에 재배하는 밭의 흙을 비옥(肥沃)하게 해야 좋은 열매를 많이 맺을 수 있을 거라는 것이다.

▲알면 좋은 한 가지 사실

잭푸르트의 가지, 줄기, 열매 등을 자르면 흰 즙액(여기엔 Sticky latex가 많은 것으로 알려짐)이 나온다. 즙액은 아주 끈적거리고 찐득거리며 손이나 칼 등에 강하게 잘 달라붙는다. 달라붙은 즙액은 물이나 비누는 물론 세제(洗劑)로 씻어도 잘 씻겨 지지 않아 만지기가 겁난다.

끊어진 가지나 줄기는 접촉할 기회가 많지 않아 문제되지 않는다. 그러나 열매는 한 개를 통째로 사다가 먹을 경우 칼로 잘라야 한다. 이때 손이나 칼에 즙액이 달라붙어 끈적이고 잘 떨어지지 않아 골칫거리가 된다. 직접 겪어보지 않은 사람은 그 심각함을 잘 알 수 없다. 물로 씻어도 그대로, 비누로 씻어도 그대로, 싱크대에서 사용하는 세제로 닦아도 그대로, 정말 그토록 찰거머리처럼 붙어 안 떨어지는 것은 흔하지 않다.

열매 횡단면 가운데의 흰 즙액

이 같은 골치 아픈 일을 해결할 수 있는 방법이 있다.

손 같은 경우는 얇은 비닐장갑을 끼면 간단히 해결된다. 그러나 자르는데 사용하는 칼 등은 그럴 수 없다. 이때는 칼에 코코넛유나 올리브유를 골고루 발라주면 된다. 칼뿐만 아니라 손이나 열매 겉에도 발라주면 더 좋다. 올리브유가 비싸면 꼬코넛유를 사용하면 된다. 코코넛유를 바른 칼에는 즙액이 적게 묻고, 묻은 즙액도 제거하기 쉽다.

코코넛유를 바르는 방법이 아닌 다른 방법으로는 즙액이 묻은 손이나 칼을 쌀 속에 넣어 문지르고 닦아내면 효과가 다소 있으나 기름칠만은 못하다. 칼 같은 경우는 즙액이 묻은 칼을 불꽃에 덥힌 뒤

신문지로 닦아내는 것을 반복하면 어느 정도 효과가 있다.

▲연구해보면 좋을 한 가지 가설

보통 과일나무는 열매가 가지 끝에 달린다. 잣, 감, 사과, 복숭아, 배, 호두, 망고, 아보카도 등 거의 다 그렇다. 과일나무뿐만 아니라 일반 나무도 마찬가지다. 소나무, 전나무, 플라타너스, 메타세콰이어, 단풍나무 등 거의 다 가지 끝에 열매가 달린다. 왜 그럴까?

몸통에 주렁주렁 달린 열매

그 이유는 잎에서 만든 양분을 열매에 쉽고 빠르게 공급할 수 있기 때문이다. 그래서 보통 식물은 잎이 무성하고 햇빛이 잘 드는 부위에 열매를 맺는다. 그런 부위가 가지 끝이다. 탄소동화작용을 잘 하여 많은 양분을 만들어 빠르게 잘 열매에 전달하기 위해서다. 그래서 일반 식물은 열매가 생성되는 생식기관인 꽃을 아예 처음부터 가지 끝에 만든다.

그런데 잭푸르트는 일반 나무와 달리 열매가 몸통이나 줄기에 달린다. 이것은 열매가 크고 무거워 나무에 달려 있기 위해서는 불가피하다.

이럴 경우 상식적으로는 잎에서 생산한 양분이 열매에 공급되기 어렵기 때문에 가지 끝보다 열매생성이 어려워야 한다. 그러나 잭푸르트는 이런 상식을 뛰어넘어 세상에서 제일 큰 과일, 그것도 맛까지 우수한 열매를 생산하고 있다. 어떻게 그런 일이 가능할까?

이에 대한 자료를 검색 해보았으나 허사였다. 찾지 못했다. 욕심 같으면 직접 시험연구를 해보고 싶지만 여건이 안 된다. 그래서 가설만 세워본다.

잭푸루트는 잎에서 만든 탄수화물보다 토양으로부터 흡수한(무기)양분을 열매 생성과 발육에 많이 사용하는 것 같다. 이것은 열매와 잎 등의 성분 분석을 해보면 단서는 잡을 수 있을 것이다.

이 가설(추론)대로라면 양질의 잭푸르트 열매를 많이 생산하기 위해서는, 잭푸르트는 비옥한 토양에 심어 재배하는 게 좋다. 더 나아가 일반 과수보다 잭푸르트 과수원에는 비료와 퇴비를 많이 줄 필요가 있다.

알면 알수록 모르는 게 많아지는 게 세상이치다. 잭푸르트 역시 알려진 것보다 알아야 할 것이 더 많은지도 모른다.

파파야1(*Carica papaya*)

-열매 향이 환상적인 외줄기 식물

파파야는 가지가 거의 없는 외줄기 열대식물이다. 줄기 겉은 잎과 열매가 달렸다가 떨어진 흉터자국(葉痕)으로 덮여 있다. 잎은 줄기 끝(上端)에 나선형으로 달린다. 잎은 7~9개로 갈라진 손바닥모양이며 잎자루가 가지처럼 굵고 길다. 열매는 맛도 괜찮고 향이 환상적이어서 디저트로 인기 만점이다. 열매에서 바로 꺼낸 씨는 개구리알을 보는 듯하다.

파파야는 파파야과(Caricaceae) 열대상록식물이다. 학명은 *Carica papaya*, 영명은 papaya, 베트남명은 đu đủ다. 베트남에서 파파야는 kg당 20,000동(1,000원, 2017년 시장가격 기준)이었다.

형태: 파파야는 가지가 거의 없는 외줄기 열대상록식물이다. 잎이 줄기 상단에 주로 나서 자루가 긴 우산 모양을 한다. 키(높이)는 대체로 3~8m다. 줄기 겉은 잎(열매)이 떨어진 자국이 선명하고 우둘투둘하다. 파파야는 자라면서 줄기 아래서부터 잎이 나고 잎 겨드랑이에 열매가 달렸다 떨어지며, 새로운 잎은 새로 자라는 줄기에서 나오기 때문이다.

잎: 파파야 잎은 줄기 상단에 나선형으로 달린다. 잎은 엽흔이 없는 새로 자란 줄기에서만 나온다.

모양은 자루가 긴 큰 부채 같다. 잎몸(葉身)은 7~9개로 깊게 갈라진 손바닥모양이며, 7~9개로 갈라진 잎 조각 역시 가장자리가 1~5곳이 갈라져 있다. 크기는 잎몸의 길이(너비)는 30~70cm다. 잎자루는 속이 비어 있으며, 40~90cm로 길어 가지처럼 보인다.

파파야

꽃: 파파야는 암수딴그루(雌雄異株)가 보편적이며 단성화다. 그러나 상업적 재배종은 암수한그루(雌雄同株)가 많은 것으로 알려져 있다. 꽃차례는 기산꽃차례(岐繖花序, dichasia)다. 수꽃은 겹기산꽃차례가 대세를 이룬다.

꽃받침은 꽃잎 아래에 붙어 있고 아주 작다, 모양은 5각형이다.

수꽃 암꽃

암꽃은 꽃잎5개, 암술1개다. 꽃잎은 연 노란색이나 노란빛이 도는 흰색이다. 암술은 긴 항아리 같은 씨방1, 0.5~2mm의 암술대1. 5 갈래로 갈라진 암술머리로 되어 있다. 크기는 길이 3~6cm다. 씨방은 꽃받침 위에 있어 씨방상위다. 암꽃 꽃잎 안쪽 아래에 수술이 붙어 있기도 하다. 그런 수술이 수술역할을 하는지는 알 수 없다.

수꽃은 긴 종(鐘), 긴 깔때기나 나팔모양으로 암꽃에 비해 길이는 4~7cm로 길지만 화관은 좁고 작다. 꽃잎은 5개며 색은 암꽃과 비슷하다. 수술은 수술대가 없고 꽃잎 안쪽 아래에 2개씩 달라붙어 있다.

꽃은 낮보다는 밤에 많이 핀다. 나방이 꽃가루받이를 해주기 때문이다.

열매: 열매는 줄기 상단의 새로 자란 줄기에만 달린다. 열매는 둥근

타원형이 많으나 둥근형과 둥근 실린더형도 있다. 초기에는 녹색이나 익으면 노란빛이 도는 연녹색이 주를 이룬다. 품종에 따라 노란색도 있다. 크기는 길이15~30cm, 지름10~20cm가 주를 이룬다. 무게는 0.5~6kg/개다.

껀터 재래시장에서 거래되는 파파야 열매

열대의 횡단면은 5각형에 가깝고 씨가 들어 있는 모습은 별 모양이다.

열매 횡단면(베트남)

열매 종단면(르완다)

잘 익은 열매의 열매살(果肉) 색은 주홍, 주황이며 연어나 참치 회를 연상시킨다. 맛은 수박과 찐 단호박을 잘 섞어놓은 듯 하고, 부드러우며 즙이 많다. 맛이 좋을 뿐 아니라 향이 말로 표현할 수 없을 정도로 환상적이다. 향이 좋아 디저트나 간식으로 제격이다.

열매 안에는 수백 개의 씨가 들어 있다.

씨: 씨는 열매 안 과육 벽에 붙어 있으며 젤 같은 물질로 쌓여 있어 개구리 알로 착각하기 쉽다. 젤 모양의 물질을 제거하고 말리면 겉에 깊게 파인 잔주름이 빽빽하다. 모양은 둥글고 크기는 지름이 3~6mm며, 색은 검거나 암회색이다. 씨 껍질을 벗겨보니 알갱이는 흰색이었다. 씨를 싸고 있던 젤 같은 물질은 말려보니 주황에 가까운 아교 같았다.

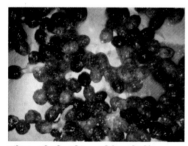 

젤로 싸여 있는 씨(르완다)   젤을 제거하고 말린 씨(베트남)

파파야는 대부분 외줄기 식물이다. 하지만 잎자루가 길고 굵어 가지가 많은 것처럼 보인다. 적당히 잘 자란 파파야는 비치파라솔 같다. 연인과 함께 먹기에 좋은 과일이다. 열매살이 부드럽고 연하며, 즙이 많을 뿐 아니라 식감(食感)도 좋고 향이 매혹적이기 때문이다.

필자 주

1.https://en.wikipedia.org/wiki/Papaya,http://www.missouri botanicalgarden.org,https://www.britannica.com/plant/papaya, Agroforestry Database4.0(Orwa etal. 2009) 등을 참고했다.

파파야2(*Carica papaya*)

-생존전략 감탄할만한 꾀쟁이

파파야는 꾀돌이다, 풀과 나무 양쪽에서 생존에 유리한 특성을 골라 가져 더러는 풀처럼 더러는 나무처럼 산다.

단성화로 암꽃과 수꽃이 따로 있는가 하면 암·수술이 같이 있는 양성화도 있어 최악의 환경에서도 맛난 열매를 많이 맺는다. 열매에는 수백 개의 씨가 젤 같은 물질로 싸여 있다. 지혜로운 생존전략으로 대를 잇는 데 전혀 빈틈이 없어 사람을 감탄케 한다.

1~2년생(베트남) 흉고 지름 약40cm (르완다)

●파파야는 풀인가 나무인가?

파파야는 완전한 풀도, 완전한 나무도 아니다. 풀 입장에서 보면 나무의 특성을 가진 특수한 풀이고, 나무의 입장에서 보면 풀의 특성을 가진 특별한 나무다.

한 해가 지나도 지상부가 살아 있고, 수년간 오래 살 수 있으며 줄기가 나무처럼 굵고 단단하며 높이 자라는 점은 나무의 특성이다. 그런가 하면 줄기 속이 비어 있고, 부름켜(형성층)가 없으며 생애주기가 1~1.5년 이내로 짧은 점은 풀의 특성이다.

식물학적으로는 파파야는 정체성이 모호한 경계식물이며 회색식물로서 이중성이 강하다. 이것은 파파야가 엄혹(嚴酷)한 생태환경에서 살아남아 대를 이어가기 위해 나름대로 터득한 생존지략이다.

파파야는 풀과 나무 양쪽의 장점을 지녔다. 파파야는 풀과 나무의 특성 중에서 생존에 유리한 특성을 골라 가져 더러는 풀처럼 더러는 나무처럼 산다.

-나무의 장점: 파파야는 오래 살아 줄기 밑동이 40cm가 넘기도 하며 높이가 5m이상 되기도 한다. 그래서 통나무처럼 단단하며 지지력이 강하다. 때문에 1kg이 넘는 무겁고 큰 열매를 수십 개 맺을 수 있다. 풀로는 크고 맛있는 열매를 많이 생산하기 어려운 점을

터득한 셈이다.

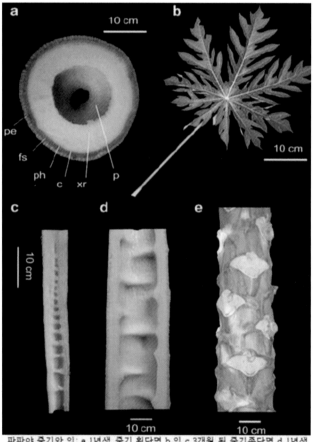

파파야 줄기와 잎: a.1년생 줄기 횡단면 b.잎 c.3개월 된 줄기종단면 d.1년생
줄기종단면 e.1년생 줄기의 엽흔. 출처: https://www.researchgate.net

줄기의 겉껍질은 잎과 열매가 달렸다 떨어진 흉터로 빽빽이 덮여

있다. 흉터(엽흔)이 모여 줄기를 보다 견고하게 한다. 그래서인지 상처와 흉터를 부끄러워하기보다 훈장처럼 영광스럽게 달고 있는 모습이 대견하다. 나무특성이 있어 환경적응성과 병충해 저항성이 강하고, 매년 심지 않아도 여러 해에 걸쳐 열매를 수확할 수 있다.

그러나 줄기는 가운데가 비어 있고 목질이 아닌 주로 섬유질에 가까운 물질로 이루어져 목재로 사용하기는 적합하지 않다.

-풀의 장점: 파파야는 오래 살지만 풀처럼 빨리 자라고 생애주기 (life cycle)가 짧아 씨를 심으면 1.5년 이내, 30cm묘를 심으면 5~7월 뒤에 열매를 수확할 수 있다. 따라서 한번 심으면 한 곳에 서만 오래 살아야 열매를 생산하는 나무와 달리 풀처럼 쉽게 이동 하며 재배지역을 다양화하고 확대 할 수 있다.

●생식기관과 번식수단이 다양하다

파파야는 생식에 관한 한 대단히 특별하다. 어떤 악조건에서도 무슨 수를 써서라도 생식(生殖)과 번식(繁殖)을 할 수 있는 식물이다. 왜냐면 암꽃과 수꽃이 따로 있는 단성화가 대세지만 암술과 수술이 같이 있는 양성화도 있기 때문이다. 그뿐 아니다. 암나무와 수나무 가 따로 있는데, 자료에 따르면 수나무에서도 열매가 달린다 하니 신기할 따름이다.

꽃 역시 밤에 주로 피는데, 이는 야행성인 나방을 이용하여 꽃가루받이(수분, 受粉)를 하기 위해서다. 번식은 주로 씨로 한다. 그러나 조직배양이나 삽목(插木) 번식도 한다.

성별에 따른 파파야 종류 a.암나무, b.암수한그루(Hermaphrodite), C.수나무 d.열매 맺은 수나무. 출처: https://www.researchgate.net

씨 생산량이 많다. 파파야 1개 열매에는 수백 개 씨가 있다. 씨는 젤 같은 물질로 싸여 있어 병해충의 피해를 막고 있다. 씨를 생산하고 후대를 잇는 존속노력에 빈틈이 없다.

파파야는 정말 대단한 꾀쟁이다. 풀과 나무의 좋은 점을 취하고 다양한 생식방법을 통하여 어떤 악조건에서도 대를 잇고 살아가는 파파야의 지혜로운 생존전략에 고개가 숙여진다. 기후변화와 질병과 같은 위기를 마주하는 지금, 인간 역시 어떤 생존전략을 세울 것인지 함께 고민해보아야 하지 않을까?

필자 주

1.https://www.wikihow.com,https://www.researchgat.net,https://www.reddit.com을 참고했다.

아마란스 농가 재배포장, 르완다

담쟁이주홍박(*Coccinia grandis*)

-씨는 납작한 조롱박인 듯, 열매는 빨간 초롱2개 마주 붙인 듯

담쟁이주홍박은 낙엽이 지는 여러해살이덩굴식물이다. 덩굴 길이는 20m가 넘는다. 흰 꽃과 빨갛게 익은 열매는 관상가치도 있다. 열매는 둥근 타원형으로 초롱 2개를 위아래로 붙여 놓은 듯하다. 씨는 납작하고 약간 굽은 조롱박을 닮았다.

담쟁이주홍박은 박과(Cucurbitaceae) 식물로 학명은 *Coccinia grandis*이다. 학명은 동의어가 많아 10개가 넘는다. 영명은 Ivy gourd(담쟁이박), Scarlet gourd(주홍박), tindora, kowai fruit 등이 있으며 베트남 명은 bình bát dây다.

아직 공식적인 한글명은 없으나 종자를 판매하거나 새로운 작물에 관심이 많은 사람들은 대체로 속명인 코시니아로 부르고 있다. 그러나 필자는 식물의 특성과 영명 등을 고려하여 담쟁이주홍박으로 부르고 싶다.

담쟁이주홍박으로 부르는 이유: 학명이 주홍과 화려함의 합성어다. 담쟁이박과 주홍박이란 영명이 널리 사용된다. 열매가 초롱 2개를 위아래로 마주 이어 붙인 모양과 비슷하여 담쟁이주홍초롱박으로도 불리나 초롱이라고까지 쓰기는 모양이 안 맞는 듯 하다. 씨는 신기하게도 조롱박(호리병박)과 모양이 비슷하다. 담쟁이주홍박이란 이

름이 코시니아 보다 친근하면서 정감도 있기 때문이다.

나무 등을 감고 자라는 담쟁이주홍박

형태와 잎; 여러해살이덩굴식물로 흙과 물기만 있는 곳이면 어디에
서든지 잘 자란다. 덩굴손이 있어 나무, 울타리, 길가 전신주와 전
선 등 의지할 수 있는 곳은 어디나 감고 올라간다.

잎은 가장자리가 5조각으로 얇게 파여 있고 끝이 다소 뾰족한 심장
형이나 오각형이다. 가장자리엔 점 모양의 뾰족한 침이 빙 둘러가
며 있다. 크기는 길이와 너비는 4~8cm이나 길이가 너비보다 약간
큰 편이다. 새순과 어린잎은 나물이나 수프를 만들어 먹는다.

꽃: 꽃은 희고 통꽃이다. 꽃잎 위는 5조각으로 갈라져있고 겉에 잔
털이 많다. 단성꽃(單性花)으로 암·수꽃이 따로 핀다. 암술은 씨방,
암술대, 암술머리로 되어 있다. 씨방은 꽃받침과 꽃잎 아래 있으며
(씨방하위), 길이7~10mm, 지름2~3mm의 긴 둥근 타원형이다. 암
술대는 길이3~5mm로 짧고 암술머리(柱頭)는 삼각깔때기모양으로

길이(높이)3~4mm며 미세한 털이 많다.

수꽃

암꽃

수술은 수술대와 꽃밥으로 되어 있고 길이는 수술대와 꽃밥을 합쳐 길이8~11mm며, 수술대보다 꽃밥 길이가 약간 긴 편이다. 수술은 4~5개이며, 수술1개는 각2~3개의 꽃밥을 가지고 있으며 꽃밥은 노랗다. 꽃받침은 5조각으로 되어 있고 각 조각 끝은 뾰족하다.

꽃에 개미가 엄청 많은 것을 보면 꽃가루받이는 개미에 의해서도 이루어지는 것으로 보인다.

덜 익은 열매

익은 열매

열매: 열매는 장과(漿果)로 수십 개의 씨가 즙액성 육질 속에 박혀 있다. 모양은 둥근 긴 타원형, 작은 아기소시지 모양이다. 크기는 길이4~5cm, 지름1~2cm다. 어린 열매는 초록이며 겉에 끊어진 하얀 줄무늬가 있으나 익으면 빨갛게 되고 흰색 무늬는 없어진다. 그래서 익은 열매는 마치 빨간 초롱 2개를 맞대어 붙여 놓은 모습으로 예쁘다. 덜 익은 열매는 딱딱하나 익으면 말랑말랑 해지며 육즙이 많아진다. 익은 열매를 쪼개어 보면 씨가 빨간 즙액의 육질 속에 가로로 들어 있다.

열매 육즙에서 바로 빠져 나온 씨

열매는 익어도 껍질이 벌어지지 않는다. 통째로 땅에 떨어지거나, 벌레나 외부 충격에 껍질이 상처가 난 채로 말라 달려 있고, 더러는 씨가 빠져나가기도 한다. 땅으로 떨어진 열매는 껍질이 터지거나 찢어지고 벌레가 갉아 먹으면 씨가 나오고, 땅에 묻힌다.

씨: 씨는 길이4~6mm, 너비1.5~2.5mm의 납작하고 좁은 쪽이 약간 굽은 조롱박이나 아기버선을 닮았다. 열매 육즙에 싸여 있을 때는 연노란 백색에 가까우나 마르면 회백색에 가깝다.

씨나 삽수 번식이 가능하다. 씨는 새, 쥐 그리고 다른 동물에 의해

널리 퍼지는 것으로 알려져 있다.

식용과 약용: 껀터시에서 길가다 보면 조그만 바구니나 그릇에 담쟁이주홍박의 어린 잎과 어린 열매를 따는 아낙네들을 볼 수 있다. 새순과 어린잎은 나물이나 국을 만들어 먹고, 어린 열매는 샐러드 등으로 요리해 먹기도 한다. 민간요법에서 열매 등을 당뇨, 기관지 염치료에 사용한다고 한다.

담쟁이주홍박은 꽃과 열매는 관상가치가 있다. 어린잎과 어린 열매는 채소로 먹는다. 당뇨 등에 약효도 있다 한다. 여기다 척박한 땅에서까지 잘 자란다. 그런데 베트남에서는 아직 이것을 농작물로 재배하거나 이것의 유용물질 연구는 거의 이루어지고 있지 않다. 관련 있는 한국인이 담쟁이주홍박에 관심을 가져보았으면 한다.

필자 주

1.학명 *Coccinia grandis*는 어린 열매가 하얀 줄무늬가 있는 녹색에서 익을수록 빨갛게 변하는 특성을 근거로 지어진 것 같다. 속명 coccinia는 주홍(scarlet)을 뜻하며, 종명 grandis는 화려한 (showy, colorful)을 뜻하기 때문이다.

2.https://en.wikipedia.org, https://www.nparks.gov.sg를 참고했다.

벌새나무(*Sesbania grandiflora*)

-열매는 긴 네모 줄, 꽃은 벌새보다 크고 무거워

벌새나무는 열대의 작은키나무(小喬木)다. 꽃은 작은 벌새보다 크고 무겁다. 베트남인은 꽃을 채소처럼 즐겨 먹는다. 열매는 길다란 네모 막대로 나무에 치렁치렁 달려 있다. 씨는 갈색으로 짧고 도톰한 타원형이다.

벌새나무는 콩과식물로 학명은 *Sesbania grandiflora*이고, 영명은 hummingbird tree, vegetable humming bird, corkwood tree, parrot flower, tiger tongue, white dragon 등 여러 개다. 학명은 동의어가 20여개나 되며, 속명은 Sesbania 외에 Aeschynomene, Agati, Coronilla, Dolichos, Emerus, Resupinaria, Robinia, Sesban 등 다양하며, 종명도 grandiflora외에 coccinea, arborescens, arboreus, grandiflorus 등이 있다. 베트남어로는 cây so đũa라고 한다.

한글명: 영명을 직역한 벌새나무(hummingbird tree)가 통용되어 그 이름을 사용했다. 영명의 경우 왜 hummingbird tree라고 했는지에 대한 유래는 찾지 못했다. 다만 식물마다 꽃가루받이 매개체가 다른 것을 보면, 벌새가 곤충대신에 벌새나무의 꽃가루받이를 도와주기 때문일 거라고 나는 추정한다.

키와 잎: 3~10m의 작은키나무다. 잎은 길이 15~30cm이며, 짝수 깃꼴겹잎(偶數羽狀複葉)으로 소엽은 10~20쌍이 마주나기 한다. 아카시나무 잎과 비슷하다.

꽃봉오리와 꽃잎

꽃: 완전갖춘꽃으로 양성화(兩性花)이다. 흰색이 많으나 핑크나 붉은 색도 있다. 꽃이 피기 전에는 목이 짧거나 목이 없는 버선을 닮았다. 활짝 피면 5장의 꽃잎으로 벌어진다. 기꽃잎(旗瓣, standard, vexillum, banner)1, 날개꽃잎(wing)2, 용골꽃잎(Keel)2개다. 암술과 수술은 용골꽃잎 안에 들어 있다. 암술은 1개이고 수술은 여러 개다.

크기는 피기 전은 길이2~5cm, 활짝 피면 꽃부리(花冠)의 긴 곳은 4~10cm다. 매개체인 벌새보다 크다. 꽃받침은 녹색으로 종 모양이다.

베트남에서는 시장에서 꽃이 채소처럼 거래된다. 일반 가정은 물론 식당에서도 벌새나무 꽃을 요리해서 먹는다. 나는 벌새나무에서 직접 꽃을 따서 찌개를 끓인 뒤 먹기 전에 넣어 살짝 익혀 먹었다. 맛과 영양을 따지기 전에 순백의 아름다운 꽃을 먹는다는 그 자체가 좋았다.

내가 나무에서 직접 따 찌개에 넣기 전 꽃

자료에 따르면 영양 측면에서도 신선한 꽃 100g에 탄수화물 6.73g, 단백질 1.28g이 들어있다. 특히 비타민C 함량이 풍부하여 신선 꽃 100g을 먹으면 비타민C 1일 섭취요구량(DV, Daily Value)의 88%를 충족할 수 있다.

열매: 열매는 멀리서 보면 둥근 줄처럼 보인다. 그러나 실제로는 너비(가로)6~10mm, 두께(세로)3~5mm의 긴 네모꼴 막대 모양이며, 길이는 30~60cm다. 색은 초기에는 녹색이나 익으면 갈색으로 변한다. 넓은 면의 겉에는 빗살이 그어져 있는 다이아몬드 무늬가 이어져 있다.

열매가 익으면 좁은 면(옆구리)의 옆구리가 갈라져 2조각이 된다. 열매 안에는 약30~60개의 씨가 2조각의 껍질 안에 엇갈려가며 들어 있다. 껍질은 딱딱하다.

씨: 씨는 도톰한 타원형(4모서리가 완만한 모양)으로 껍질 맥에 연결되었던 부위가 약간 들어가 있다. 색은 익기 전은 녹색이고 익으면 갈색이다. 크기는 길이5~7mm, 너비4~5mm, 두께1mm정도다.

시계방향: 벌새나무와 달려 있는 열매, 열매껍질, 씨

벌새나무의 매개체로 알려진 벌새(Humming bird)는 세상에서 가장 작은 종(種, Species)의 새라고 한다.

그 벌새 중 가장 작은 종인 Bee humming bird는 길이가 5cm, 무게는 2g이하로 알려져 있다. 벌새나무의 꽃이 벌새보다 크고 무거운 편이다.

1.https://egn.wikipedia.org, https://www.cabi.org를 참고했다.

2. 벌새나무 꽃을 직접 따서 먹을 때는 꽃술을 따내서 꽃가루가 들어가지 않도록 해야 한다. 꽃가루에는 독성이 있을 수 있기 때문이다. 시장에서 파는 꽃은 꽃술을 따낸 것이니까 시장에서 사 먹을 때는 괜찮다.

부추(*Allium tuberosum*)

-부추는 물만 먹고 얼마나 살까? 왜 열대에서는 근경을 안 만들까?

나는 부추를 실내에서 물로만 키워 보았다. 그랬더니 1년10월을 살았다. 정말 생명력이 대단했다. 그리고 흥미롭게도 부추는 아프리카 르완다에서는 한국 노지재배에서처럼 매년 혹 모양의 굵은 근경(根莖, 땅속줄기)를 생성하지 않았다. 이는 겨울을 나는데 필요한 양분을 저장할 필요성이 없기 때문으로 추정된다.

부추는 여러해살이식물로 학명은 *Allium tuberosum*, 영명은 garlic chives, Chinese chives, Oriental garlic, Asian Chives, Chinese leek, 한국명은 솔, 정구지(精久持), 월담초(越牆草), 파벽초(破壁草), 파옥초(破屋草), 기양초(起陽草) 구근(韭根), 구(韭), 구채(韭菜), 비(菲), 편채자(扁菜子), 구채자(韭采子), 난총(蘭葱), 구자(韭子)등 이름이 많다.

부추는 물만으로 얼마나 오래 살까? 궁금하여 자료를 찾아보았지만 찾지 못했다. 그래서 르완다에서 생활하는 동안 부추를 실내에서 수돗물로만 길러 보았다.

2013년9월20일에 물 컵에 부추 2대를 넣고 물을 부어 거실에 놓았다.

재배방식은 가끔 물이 마르지 않도록 물만 주었다. 그런데 한 달, 여섯 달이 지나도 부추는 살아 있었다. 그게 신통 방통하여 관심을 갖고 키우다 보니 1년이 넘었고, 1년9월이 되던 2015년6월12일에 한 줄기 잎만 남아 있다가 2015년7월10일에 마지막 잎마저 시들어 죽었다. 장장 1년10월 만이다. 부추는 정말 생존력이 강한 식물이다.

왼쪽 위 시계방향: 실내에서 물만으로 키운 부추
(2013.09.20, 2014.06.13, 2015.06.12, 2015.07.10)

생명력이 강해서일까? 부추는 밭에서도 심어 놓고 일정 기간이 지나면 땅 위 줄기와 잎을 잘라 이용하면 된다. 그런 다음 잘라낸 부추 위에 살짝 흙만 덮어주고 일정기간 지나면 다시 수확할 수 있다. 게다가 지역적응력도 강한 편이다.

또 한 가지 흥미로운 것은 부추의 근경(땅속줄기) 발달양상이 열대와 온대에서 다르다는 사실을 발견했다. 부추는 한국에서는 겨울을 지나면 지난 해 만들어진 근경(땅속줄기)는 굵어져 혹처럼 변하고 새로운 땅속줄기가 또 생기는데 르완다에서는 한 해가 지나도 땅속줄기가 굵어져 혹처럼 되지 않았다. 이와 관련된 자료를 찾아보았지만 아직 찾지 못했다.

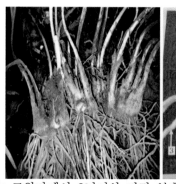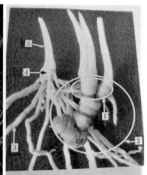

왼쪽: 르완다에서 2년이상 자란 부추의 근경(땅속줄기))과 뿌리,
오른쪽: 한국에서 자란 부추의 지하부 1.인경(鱗莖), 2.근경(지하경),
3.뿌리, 4.분얼경, 5.엽초 (자료:신고채소원예학 2009)

왜 열대에서는 부추의 근경(땅속줄기)이 혹처럼 굵어지지 않을까? 나는 아마도 열대에는 겨울이 없기 때문에 부추가 겨울을 나는 데 별도의 양분이 필요하지 않기 때문이라고 추정한다. 다시 말하면 근경을 굵게 만들어 겨울용으로 양분을 저장할 필요가 없다는 것이다.

부추는 르완다에서 아직 채소로 자리매김하지 못한 상태이나 베트남에서는 한국 못지않게 부추가 채소로 각광을 받고 있다. 잎과 줄기는 물론 꽃봉오리와 꽃대까지 시장거래가 되고 가정집은 물론 식당에서도 음식으로 나온다.

그렇다면 서양에서는 어떨까? 원산지가 동북아시아여서 그런지 서양에서는 채소보다는 관상용 꽃으로 더 사랑 받는 것으로 알려져 있다. 정원 관상식물로 많이 추천되기도 하는 이유다. 실제로 자세히 찬찬히 바라보면 부추 꽃은 여느 꽃 못지않게 아름답고 향기롭다. 꽃말은 '무한한 슬픔'이란다.

왼쪽 위에서 시계방향; 꽃, 열매, 꽃봉오리 요리, 씨(베트남)

봄 부추 한 단은 피 한 방울보다 낫다는 옛말도 있다. 부추는 몸을 따뜻하게 하고 피를 맑게 하며 허약제질 개선에 효능이 있다고 알려져 있다.

실제로 내가 어렸을 적에 아프면 어머니는 쌀죽을 끓인 뒤에 부추를 조금 넣어 간장으로 간을 맞추어 주곤 했다. 지금도 어머니의 정성과 그 신통함을 잊지 못한다. 전통적으로 민가에서 부추를 원기회복에 사용한다는 증거다.

부추는 생명력과 환경적응력이 강하다. 용도 또한 다양하여 식용과 관상용(꽃)은 물론 약용으로도 매력적인 식물이다. 알면 알수록 세상에 존재하는 것은 다 귀한 존재다.

아마란스(*Amaranthus dubius*)

-잎은 채소, 씨는 곡물(穀物)로 이용되며 약효도 커

르완다 등 아프리카에서 아마란스는 잎은 채소, 씨는 곡류로 이용된다. 잎은 샐러드, 나물무침 등으로 먹고, 씨는 밥을 짓거나 샐러드토핑(고명), 수프, 찌개요리 등에 섞어서 먹는다. 필수아미노산과 폴리페놀 등의 황산화 성분이 들어 있어 고혈압 등의 성인병 예방에 좋은 것으로 알려져 있다.

아마란스는 비름과(Amaranthaceae)의 한해살이풀로 학명은 *Amaranthus dubius*. 영명은 amaranth, red spinach, Chinese spinach, pig weed 등으로 불린다. Amaranth는 고대 그리스어의 시들지 않는다는 'amarantos'와 꽃이라는 'anthos'의 합성어에서 유래되어 '영원히 시들지 않는 꽃'이라고 한단다.

이런 아마란스와 나의 인연은 르완다대학교 농과대학(College of Agriculture Animal Sciences and Veterinary Medicine, CAVM)에서 코이카 자문관으로 활동하던 2014년 가을로 거슬러 올라간다.

그때 채소생산학을 강의하였는데 제자 Mr. Innocent Bamporik와 Mr. Dieudonne Nsengimana가 나에게 학사학위 졸업논문 지도교수를 맡아달라고 했다. 그러면서 주제를 아마란스 식물의 생산성과 단일(短日)저항성 비교 시험연구를 하겠다고 했다.

나는 논문의 대상작물을 채소로 하는 게 타당하다고 생각하였는데 아마란스가 채소라는 확신이 없어 학생들에게 물었다.

'아마란스가 채소 맞나요?'

학생들은 주저 없이 대답했다.

'예, 르완다에서는 채소로 많이 재배되어요.'

'알았어요. 그럼 재배포장을 가서 상황을 확인하고 결정해요.'

그런 뒤 학생들의 안내를 받아 나는 아마란스를 재배하는 농가포장을 가서 보았다. 학생들 말대로 아마란스가 실제로 농촌에서 많이 재배되었다.

아마란스 농가재배포장(2015.03.02)

채소로 재배되는 것을 확인한 뒤 2학생의 아마란스에 대한 재배시험연구를 지도하였고, 그들은 학사학위 졸업논문 'Comparative Study on Productivity, Yield and Short Day Tolerance of

Amaranthus in Busogo'를 발표하였다.

파종 후 37일까지 조사를 실시하여 발표한 논문의 주요 내용은 아래와 같았다.

시험포장의 아마란스 생육상황 조사(2015.05.20.)

-길이(草長): *Amaranthus dubius*는 14.3cm로 *A. funi* 34.47cm에 비해 작았다.

-생산량: *Amaranthus dubius*의 생산량은 26.67t/ha으로 *A. funi*, *A. kinigi*에 비해 다소 낮았고, 단일조건에서 추대(Bolting)발생률은 13.33%로 *A. funi*와 *A. garukusorome*의 100%에 비해 현저히 낮았다.

재배포장이용과 졸업논문 제출기간의 제약으로 37일이상 시험을 할 수 없어 아쉽게도 씨 생산량은 조사하지 못했다. 다만 파종 37

일 뒤에도 일부 남아 있는 아마란스는 더 자라고 꽃대가 올라와 꽃을 피어서 키가 50cm이상 되는 것도 많았음을 보았다.

그 뒤 잊고 지내던 아마란스에 다시 관심을 갖게 된 것은 우연히 식품저널 Foodnews의 "연구노트, 아마란스를 아시나요?" 기사 (2022.08.25.)를 접하고서였다. 기사에 따르면 농촌진흥청 국립식량과학원 중부작물부에서 2020년부터 아마란스의 국내품종육성연구를 시작하였고, 2021년부터는 국내육성계통의 황산화, 항당뇨, 항염증, 항고혈압 등의 생리활성의 연구도 시작했다는 것이다. 반갑고 희망적인 일이다.

그러나 일부 언론의 " '아마란스 효능' 신이 내린 곡물이야! '슈퍼곡물' 효능 엄청나. 온라인 중앙일보 2015.01.14." 보도처럼 열대식물을 일시적 흥행의 대상으로만 삼지 않는 게 좋다. 대신에 국내 연구기관과 관련 단체와 기업이 차분하고 꾸준하게 시험연구를 실시하여 하나라도 작지만 실질적인 성과를 냈으면 한다. 열대식물 중에는 아마란스 못지않게 인류의 생존과 복지증진에 기여 할 수 있는 식물이 많다고 믿기 때문이다.

필자 주

1.Mr. Innocent BAMPORIKI와 Dieudonné NSENGIMANA 학생의 학사학위졸업논문에 사용한 *Amaranthus funi*, *A. kinigi*, *A.garkusorome*이 식물분류학적으로 정확한 지는 확인하지 못했다.

2.https://en.wikipedia.org/wiki/Amaranthus_dubius,https://
www.me.xEMuK3pM,https://www.foodnews.co.kr/news/artic
leView.html?idxno=98349,https://www.joongang.co.kr/articl
e/16930400#home를 참고했다.

이비도도치

-쌀뜨물에 어린 순을 넣고 끓인 된장국 맛 그럴싸해

2012년12월 르완다에 가서 제일 먼저 노지에서 채취하여 먹은 식물이 이비도도치다. 비가 내리는 날 저녁에 집 뒤에 야생하는 어린 순을 따서 쌀뜨물에 넣고 된장국을 끓였는데 맛이 그럴싸하니 괜찮았다. 이 국을 먹으면서 고향에서 어린 호박 잎을 으깨어 넣고 끓인 된장국을 먹는 기분을 내며 향수를 달랬다.

이비도도치 잎을 따서 국을 끓여 먹은 이유는 학생들이 먹을 수 있다며 먹어보라고 하고, 된장국을 끓이려는 데 마땅히 넣을 채소가 없었고, 시장에 가기는 꺽정스러워 맛보기 차원이었다.

그런데 나는 10년이 지난 지금도 이비도도치의 영어 이름이나 학명을 모른다. 르완다에 있을 때 영어 이름과 학명을 알고 싶어 학생들이나 교수들에게 물었으나 아는 사람이 없었다. 르완다식물도감 'Illustrated Field Guide to the Plants of Nyungwe National Park, Rwanda'에도 이비도도치 식물은 없었다.

앞으로 시간을 갖고 아래 관찰사항과 직접 찍어 보관 중인 사진에 근거하여 영어 이름, 학명, 용도 등을 알아보려고 한다.

르완다에 있을 때 이비도도치 식물을 관찰한 내용은 대략 아래와
같다.

-형태상으로는 덩굴성 풀이다. 잎은 작은 호박 잎을 닮아 잎 가장
자리가 갈라진(掌狀裂) 모양이다. 옆 맥은 주맥이 있는 그물 맥이다.

잎과 덩굴손

-암수한그루이며 암꽃과 수꽃이 따로 피는 단성화이다.

-꽃잎은 타원형이며 5장이고 흰색에 가깝다. 꽃받침은 아래는 통꽃
받침이고 중간쯤 위로는 좁고 길며 끝이 뾰족한 5개의 갈래꽃받침
이 있다.

-암꽃은 긴 타원통형의 씨방이 꽃받침아래 있고(씨방하위) 암술대
는 짧고 암술머리는 뭉뚝하다. 수꽃은 씨방이 없고, 수술은 5개로

수술대는 희고 아주 짧으며 수술머리는 노랗다.

암수 꽃봉오리

-열매는 긴 달걀이나 조롱박과 비슷하고 크기는 길이 13~15cm, 지름5~8cm다. 색은 옅은 녹색에 가깝다.

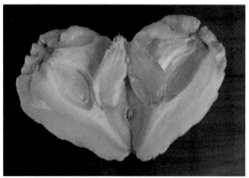
세로로 2등분한 열매와 그 안의 씨

신선한 열매는 별로 맛이 없다. 굳이 말하자면 싱거운 무(우) 맛이라고 할까? 그러나 시장에서 열매가 거래된다.

-씨는 1개 열매에 1개 들어 있으며 도톰한 긴 타원형이다.

위 관찰내용과 사진을 보고 영어 이름이나 학명 등을 알 수 있으면 알려주기를 기대한다. 이비도도치 학명도 모르는 나가 부끄럽다. 빨리 그런 부끄러움에서 벗어나야 할 텐데~~.

열매가 많이 달린 북채나무

강황1(*Curcuma longa*)

-실내에서 강황을 수돗물로 키워보기

실내에서 강황 뿌리(근경)를 빈 컵에 넣고 수돗물로만 키웠더니 335일 이상을 살았다. 잎과 줄기는 싱싱하고 좋았으나 꽃은 피지 않았다. 대신 영양번식으로 새로운 개체를 만들면서 1년 가까이 자라는 강황의 강인한 생명력과 지혜에 놀랐다.

When a turmeric root was grown indoors in an empty cup with only tap water, it lived for more than 335 days without any nutrition. The leaves and stems were fresh and good, but the flowers did not bloom. Instead, I was surprised at the strong vitality and survival wisdom of turmeric, which grew for almost a year while creating new individuals through the vegetative propagation.

수돗물로만 키우며 관찰한 강황의 생육상황은 다음과 같다.

-심기(2018.09.12)

내가 활동하는 한베인큐베이터파크(KVIP)에서 강황 근경(뿌리)을 얻어 집에 가져왔다. 싱크대에 올려놓고 다음날 일어나 보니 새싹이 나왔다. 오뚜기 전복죽을 먹고 난 빈 그릇에 뿌리를 넣고 물을 조금 부었다. 강황을 물 속에 심은 셈이다.

강황 근경(지하경, 땅속줄기)

-1주 뒤(2018.09.19)

잎과 줄기: 새순 1개가 자라 그릇 위로 솟아올랐다.

근경과 뿌리: 싹 눈 2개가 생기고 3개의 하얀 근경과 실뿌리로 보이는 것이 가늘게 나왔다. 1개는 짧고 굵으며, 나머지 2개는 길고 가늘었다.

새순과 하얀 근경과 실뿌리

-2주 뒤(2018.09.27)

잎과 줄기: 땅속줄기 끝에서 새로운 잎이 나왔다.

근경과 뿌리: 1개의 굵고 짧은 근경이 더 나왔다. 기존의 3개 근경과 실뿌리 중 가느다란 1개는 없어지고 굵고 짧은 근경은 더 길고 굵게 자랐다. 가늘고 긴 것 1개도 더 길고 굵게 자랐다.

새 잎이 나옴

-약4주 뒤(2018.10.08)

잎과 줄기: 잎이 한 개 더 나와 3개가 되고 키가 60cm 넘게 훌쩍 자랐다. 그 뒤로는 키가 많이 자라지 않고 잎이 커지고 줄기가 튼튼해졌다.

근경과 뿌리: 굵은 2개의 근경에서 여러 개의 실뿌리가 자랐다. 이들은 잎과 줄기와 달리 계속 자라고 많은 실뿌리가 생겼다.

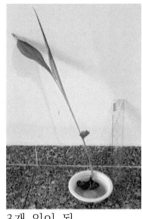

3개 잎이 됨

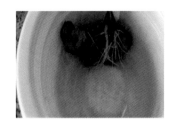

가까이 찍은 근경과 실 뿌리

-약7주 뒤(2018.11.03)

잎과 줄기: 굵은 근경에서 1개의 새 순이 자라 물위로 올라왔다.

근경과 뿌리: 3개의 굵은 근경 위에 많은 실뿌리가 자랐다.

본 근경과 새 근경에서 자란 새순, 다른 근경과 실뿌리

-13주 (2018.12.11)

잎과 줄기: 1차 본 식물체는 거의 그대로 이고 2차새순이 2잎이 되었다.

근경과 뿌리: 큰 변화가 없다.

2차 순이 2잎이 됨

-32주(2019.05.16)

잎과 줄기: 본줄기에 살아 있던 잎 3개중 1개 잎이 말라 죽었다.

근경과 뿌리: 처음에 난 2차 새순은 죽고 새로 자란 2차지하경에서 새로 2개의 순이 자라났다.

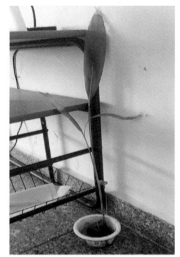 

본 줄기에 2개잎만 살아남음, 가까이 찍은 새로 나는 2개의 순

-약36주(2019.06.14)

잎과 줄기: 본 근경에서 나온 줄기와 잎이 모두 말라 죽어 바닥으로 쓸어졌다. 대신에 새로 생긴 근경에서 새 순이 자라서 물 위로 올라왔다.

근경과 뿌리: 근경과 실뿌리는 죽고 새로 생기기를 반복했다. 2차로 나온 새 근경은 본 근경에서 분리되고, 거기서 새순과 실뿌리가 나와서 자랐다.

본 줄기와 잎은 죽고 2차 근경에서 나온 새순

-약38주(2019.06.23)

잎과 줄기: 2치로 새로 생긴 근경에서 나온 줄기의 잎도 2장이 되어 자랐다. 본 근경에서 나온 것과는 달리 키는 약20cm로 작았다.

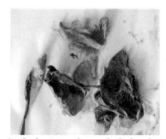

2차근경에서 자란 줄기와 잎, 속살이 소모되고 껍질만 남은 근경

근경과 뿌리: 심은 근경은 외관상 형태는 원래 모양과 비슷했다. 그

러나 조사해보았더니 속은 텅 비고 껍질만 남았다. 살(속)은 양분으로 다 소모된 것이다. 대신 새로 생긴 굵은 2차근경과 실뿌리가 자라고 있었다.

-44주(2019.08.09)

잎과 줄기: 새로 나온 순은 잎 1장이 죽어서 줄기와 2장의 잎만 남았다.

근경과 뿌리: 새로 나온 근경과 실뿌리는 아무 문제없이 싱싱하게 잘 자랐다.

2차근경에서 나와 자라는 새순

임기가 끝나 베트남을 떠나는 2019년8월13일 아침에도 물속에서 강황은 살아 있었다. 생육상태로 보아 물만 잘 준다면 더 살 수 있어, 강황은 수돗물로만 키워도 1년은 생존할 수 있다고 추정되었다. 살아 있는 마지막 순간까지 보지 못해 아쉽다.

Turmeric was still alive in the water on the morning of August 13, when I left Vietnam at the end of my term. Considering its growth condition, it is like growing longer if only watered well. It estimated that turmeric survives for a year even if grown with only tap water. It is so pity that I could not see the last moment that turmeric is alive.

강황을 물에 키우면서 자라는 모습을 관찰하였다. 그것으로부터 무언가 배울 수 있어 즐겁고 고마웠다. 강황은 영양분이 부족한 상황에서는 우선 살아남는 것이 중요함을 알았다, 그래서 양분이 많이 드는 꽃을 피우지 않았다. 대신에 강황은 무성생식으로 직접 새로운 개체를 만들어 종족을 보존하는 신기한 지혜와 힘을 보여주었다.

I grew turmeric in only tap water and observed its growth. I was glad and thankful to learn something from it. Turmeric knew it was important to survive first in a nutrient-poor situation, so it did not blossom flowers that need rich nutrients. Instead, turmeric showed the mysterious wisdom and power of preserving the species by directly creating new individuals through asexual reproduction.

1.강황은 덩이땅속줄기(괴경 塊莖)를 심어 재배를 한다. 근경(根莖)은 땅속줄기, 뿌리줄기, 근경체(根莖體), 지하경, 흡지(吸枝) 등으로 불러지며 영어로는 Rhizome이라 한다. 땅속줄기는 줄기와 잎, 그리고 뿌리를 만들 수 있어 영양번식(무성생식)을 할 수 있다.

사람이 식용(약용)으로 이용하는 것은 근경이 살이 차 비대(肥大)해진 덩이땅속줄기(괴경, 塊莖)이다. 내가 본 강황의 괴경은 둥글고 짧으며 한쪽이 약간 더 굵은 소시지나 막대 같았다. 색은 겉은 약간 적갈색을 띠고 속살은 노랑(주황)색에 가까웠다.

강황2(*Curcuma longa*)

-노지에서 일생과 부위별 상태

강황은 여러해살이풀이다. 하지만 열대지역에서도 노지에서 강황의 지상부는 약7개월정도 살았다. 지상부가 말라 죽고 나면 바로 수확 하기보다 일정 기간 지난 뒤 수확하였다. 이것은 근경의 비대(肥大) 를 돕기 위함으로 보인다.

Turmeric is a perennial plant. However, even in the tropics, the upper part of turmeric in the land outside lived for about seven months. Rather than harvesting immediately after the above ground part dried up and died, it harvested after passing a certain period. This seems to be to help the rhizomes gain flesh more.

강황은 파종용 근경(괴경)을 심은 지 약4개월이 되면 키가 70~100cm로 다 크고, 약5개월째부터 꽃이 피었다. 꽃은 헛 줄기 밑동에서부터 꽃대가 1개가 올라와 이삭꽃차례로 수십 송이가 달렸 다. 색은 꽃잎 위는 노란색이었고, 전체적으로 흰색과 아주 연한 녹 색을 띠었다.

노지에서 자라는 강황의 부위별 자세한 상태는 다음과 같다.

잎: 잎은 어긋나기였다. 잎집(엽초, 葉鞘), 잎자루, 잎몸(엽신, 葉身)

으로 되어 있다. 줄기는 잎집이 모여 만든 헛 줄기였다. 잎의 크기
는 길이 40~60cm, 너비 15~25cm이고 모양은 긴 타원형에 가까
웠다.

지상 부는 밭에서는 심은 지 약4개월이 되면 다 자라고, 식물전체
키는 70~100cm가 되었다. 그러나 화분과 들판에서 자라는 것은
밭에 재배하는 것보다 작았다. 크기는 자라는 토양 등의 조건에 따
라 크게 차이가 났다.

개화기와 꽃차례(花序): 밭에 심은 지 약5개월부터 꽃이 피었다. 이
삭꽃차례(穗狀花序)로 길이 20~30cm의 꽃대 축에 수십 송이가 조
밀하게 달렸다.

꽃차례와 꽃

꽃: 꽃은 포(苞, Bract), 꽃잎, 암술머리는 육안으로 확실하게 구별할 수 있었다. 그러나 육안으로는 꽃받침, 수술, 열매, 씨 등은 단정할 수 없거나 찾지 못했다. 너무 작고, 모양과 성상이 뚜렷하지 않았기 때문이다.

포: 연한 녹색이나 흰색이었고, 길이 3~5cm, 너비 2~3cm였다. 1개 포(포엽)에는 거의 3개의 꽃이 들어 있었다. 문헌에는 꽃은 3개의 심피(心皮, Carpel))로 되어 있다.

꽃잎: 아래는 긴 대롱이고 위는 약간 오므라든 나팔 모양이어서 암술머리가 보였다. 꽃잎은 위는 연노랑이고 아래 대롱은 흰색에 가까웠다. 대롱 부위는 초기에는 매끄럽게 보였고, 짧았으나 시간이 지남에 따라 시계태엽처럼 감겨졌다. 그러다 대롱이 마르면 태엽처럼 감겨진 것이 풀어져 길어지고 윗부분은 오므라들었다. 마른 꽃잎의 길이는 2.5~3.0cm였다.

꽃술: 암술머리는 2~4갈래 포크모양이었다. 암술머리에 가는 실 같은 줄이 연결되어 있으나 이것이 암술대인지는 모르겠다. 수술이나 꽃 밥으로 인식할 만한 것은 보지 못했다.

씨방: 꽃 아래 중앙에 작은 좁쌀모양의 물체가 있었으나 육안으로는 이것이 씨방인지 여부는 알 수 없었다.

가까이 찍은 꽃

꽃받침: 꽃의 구조상으로는 꽃받침이나 꽃받침 조각이어야 하는데, 작은 포로 보였다. 이것에는 꽃 1개가 들어 있었다. 그러나 모양이나 성상으로 보아 꽃받침이라고 단정하기 어려웠다. 문헌에 의하면 강황 꽃은 3개의 꽃받침조각이 있다고 한다.

열매와 씨: (꽃)이삭이 다 말라도 열매와 씨는 찾지 못했다. 이것은 재배용 강황은 3배체(倍體)라는 것이 설득력이 있다. 3배체 식물은 씨 없는 수박처럼 씨를 생산하지 못하기 때문이다.

수확: 지상부가 성장을 멈추고 말라버린 뒤 일정기간 비대기간을 거쳐 근경이 속이 차고 비대를 돕는다. 그런 뒤 근경이 굵고 커져 약간 굽은 소시지 같이 되면 수확하는 것으로 보인다. 이것은 지상부가 말라버린 지 거의 4개월이 되는 2019.08.13.일 즉 귀국 때까지도 수확을 하지 않았기 때문이다. 문헌에 따르면 파종용 근경을 심은 지 9~10개월 뒤에 수확하는 것으로 되어 있다.

파종12일 째 새순2018.09.24

성장 다된 지상부2019.01.23

지상부 없어짐2019.03.21

강황의 일생은 약10개월로 파종, 출현(Emergence), 신장기, 개화
기, 비대기, 수확으로 이루어졌다. 꽃은 피어도 열매와 씨가 생산되
지 않았다. 대(代)를 잇기 위해서는 몸의 일부(一部)인 근경을 잘라
서 심어야 한다. 씨가 없는 죄로 몸을 자르고 죽어야 대를 이을 수

있는 게 강황의 운명이다.

Turmeric's life cycle was about 10months, consisting of sowing, emergence, elongation, flowering, hypertrophy, and harvesting. Even if it has flowers, its fruits, it did not produce seeds. In order to succeed, the root(rhizomes), which are one part of the body, must be cut and planted. It is the fate of the turmeric that for preserving their species, it is necessary to cut the body and die for the sin without producing seed.

필자 주

1.직접 생육상황을 관찰한 강황은 2018.09.12일 심었고, 그것은 2018.0924일 새순 출현, 2019.01.23일 지상 부(部) 성장이 거의 끝나고, 2019.02.24일 꽃이 피기 시작하였으며 2019.03.21일 지상 부가 말라비틀어졌다. 그러나 생육이 균일하지 않아 개체마다 생육단계별 시기가 달랐다.

2. 강황의 한 사이클은 약10개월 정도였다. 그러나 강황은 다년 생식물인 데다 땅속에서 근경이 계속 만들어져 새로 만들어진 근경에서 나온 개체는 다시 또 10개월 정도를 살 수 있다.

때문에 열대 지방에서는 강황의 연중 생육이 가능하여 계속 자라는 것으로 보인다. 실제로 강황을 심은 포장에는 1차 생육이 끝나고 새로운 근경이 2차 생육을 하며 자랐다. 이것은 실내에서 물로 키웠을 때도 확인이 되었다.

3.wikipedia,https://greenharvest.com.au,https://www.indiaagronet.com등을 참고했다.

북채나무1(*Moringa oleifera*)

-열매는 세모막대, 씨는 날개 달린 삼면체(三面體)

북채나무는 열대의 넓은 잎 큰키나무(熱帶闊葉喬木)로 반 낙엽성이
다. 잎은 홀수2~3회깃꼴겹잎이며 길이는 20~50cm다. 작은 잎은
타원형이다. 꽃은 나비모양 꽃부리(蝶形花冠)로 된 갖춘 양성화며
크림색이나 흰색이다. 열매는 길이 30~50cm의 양끝이 좁은 세모
막대모양이다. 씨는 삼면체로 능각 가장자리에 날개가 달렸다.

북채나무

북채나무는 모링가과 식물로 학명은 *Moringa oleifera*, 영명은
moringa, drumstick tree, horseradish tree, ben oil

tree(benzolive tree)다. 베트남어이름은 Chùm ngây다. 공식적 한글명은 없으나 모링가로 알려져 있다.

한글명: 모링가 보다 북채나무라고 했으면 한다. 그 이유는 다음과 같다.

-열매가 북채처럼 길고, 영어로 drumstick tree(북채나무)로 많이 불리고 있다.

-아직 한국의 식물 이름 중에 북채나무가 없어 식물이름의 중복으로 인한 혼란도 없는 반면에 북채나무란 이름이 정겹고 좋다.

-모링가는 속명이며, 이 속에는 현재13종의 식물이 있어 모링가 이름은 다른 종을 대표하지도 않고, 따라서 다른 종들과 혼돈이 일어날 수 있다. 모링가과에는 현재 모링가 1속만 있으나, 식물분류학계에서 'Anoma', 'Hyperanthera' 2속 추가를 검토 중에 있어, 이들 속이 추가될 경우 모링가라는 이름은 더욱 식물 한 종의 이름으로만 불리기에 적합하지 않게 될 것이다.

-열매는 꼬이지 않아 Moringa속명이 뜻하는 "꼬인 꼬투리"와도 맞지 않다.

-전남순천에는 모링가를 생산·연구하는 순천만북채나무협동조합이 있다.

형태: 북채나무는 열대지역의 활엽큰키나무로 높이10m이상 자라기도 한다. 자료에는 모두 낙엽성(Deciduous)으로 되어 있다. 하지만 낙엽이 지기는 하나 완전히 다지지 않는 나무가 많아 반 낙엽성(Semi deciduous)이 더 알맞다고 본다.

잎: 잎은 홀수깃꼴겹잎이다. 그런데 특이한 것은 2회와 3회가 섞여 있다. 그래서 3회 깃꼴겹잎일 경우 잎 길이가 50cm가 넘기도 한다. 이런 잎들은 아래로 축 늘어져 처진다. 소엽(小葉, 측엽)은 타원형이고 길이2~3cm, 너비1~2cm다.

꽃: 꽃받침, 꽃잎, 암술과 수술이 다 있는 양성화이며 갖춘꽃이다. 모양은 좌우대칭 형 나비모양꽃부리(蝶形花冠)다. 꽃잎 중 기꽃잎이 서 있는 것은 벌레를 유인하기 위해서다.

-꽃받침; 꽃받침은 밑은 통으로 되어 있고, 위 약4/5는 5조각으로 갈라져 있다. 모양은 피침형 또는 위 끝이 좁은 긴 타원형이다. 크기는 길이1~2cm, 너비5~10mm, 두께1mm정도다. 색이 아래통은 녹색이나 조각은 흰색이나 크림색이어서 꽃잎처럼 보인다.

-꽃잎; 꽃잎은 주걱형이며 5개다. 기꽃잎이 가장 크며 유독 이것은

서 있다. 날개꽃잎2, 용골꽃잎2는 작고 아래나 옆으로 젖혀 처져 있다. 크기는 길이1~3cm, 너비5~10mm, 두께1mm정도다. 색은 흰색이나 크림색이어서 꽃받침과 어우러져 겹꽃처럼 보인다.

꽃

-꽃술: 암술은 1개며 씨방은 긴 타원형 꼬투리 같으며 연한 녹색에 가깝다. 암술대는 씨방보다 짧고 가늘며 희다. 수술은 5개(6개라는 자료도 있으나 필자가 눈으로 본 것은 5개임)며, 2개는 꽃가루가 없는 헛 수술 같았다.

열매: 모양은 얼핏 보면 둥근 막대로 보이나 양 끝이 좁은 세모막대다. 색은 초기에는 녹색이고 익으면 옅은 회갈색이 된다. 크기는 길이20~50cm, 한 면의 너비 1.5~2.5cm다. 겉엔 각 1면에 2개의 골이 있다. 완전히 익으면 3개의 능각이 벌어져 3조각이 된다.

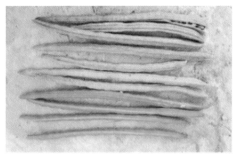

익은 열매와 덜 익은 열매

껍질 겉은 딱딱하나 속은 누렇거나 연 노란 색이고, 손으로 누르면 들어갈 정도로 무르며 굳은 스펀지나 스티로폼 같다. 씨가 들어 있던 자국이 선명하다. 1개 열매에는 15~30개 씨가 들어 있다.

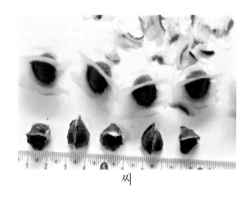

씨

씨: 모양은 3능각에 날개가 달린 삼면체(三面體)다. 날개가 붙은 크기는 길이2.0~3.2cm, 너비2.0~2.5cm다. 날개는 희거나 누렇고, 길이2.0~3.2cm, 너비0.8~1.2mm, 두께1mm이하다.

날개를 떼어낸 씨는 3면이 볼록한 세모꼴이다. 색은 익기 전은 희거나 연녹색이다 익으면 흑갈색이다. 크기는 3면이 거의 비슷하며 면 길이는 1.0~1.3cm다.

씨 껍질은 딱딱하나 단단하지는 않고 잘 부서지며 두께는 1mm정도다. 겉껍질과 속껍질 2중으로 되어 있다. 껍질 속 알갱이는 희거나 연한 회백색이며 모서리와 능각이 완만한 세모꼴이며 크기는 한 면이 5~7mm다. 익은 씨와 달리 덜 익은 씨는 매끄러우나 날개를 포함하여 무척 끈적거리며 색은 연두색이다. 날개 달린 익은 씨는 가벼워 물에 뜨고 바람에 날린다.

씨는 세모막대 안에 1열로 가지런히 날개를 펼친 채 들어 있다. 열매껍질이 벌어져 씨가 밖으로 나와 바람을 만나면 날아가고, 물을 만나면 떠내려간다. 그런 씨를 보고 있노라면 '발이 없어도, 걷지 못해도 얼마든지 어디든지 여행을 할 수 있구나!'하며 절로 감탄하곤 했다. 그런 씨가 능력자 같기도 하고 신통 방통해 보였다.

필자 주

1.*Moringa oleifera*의 속명은 '꼬인 꼬투리(Twisted pod)'를 뜻하는 인도 타밀어 'murungai', 종명은 '기름(oil)'과 '지니다, 함유하다(to bear)'를 뜻하는 라틴어 'oleum'과 'ferre'에서 유래되었다.

2. 모링가 속에 현재 *Moringa oleifera, M. arborea, M. borziana, M. concanensis, M. drouhardii, M. hildebrandtii, M. longituba, M. ovalifolia, M. peregrina, M. pygmaea, M. rivae, M. ruspoliana, M. stenoprtala* 등 13종이 있다.

3. 모링가과에는 현재 모링가 1속만 있으나, 2002-2010세계식물보존전략(GSPC, Global Strategy for Plant Conservation) 목표1에 따라 추진하고 있는 식물목록(The Plant List, TPL)에는 Anoma, Hyperanthera 2속이 검토심의 중에 있다.

4.https://en.wikipedia.org, http://www.theplantlist.com등을 참고했다.

북채나무2(*Moringa oleifera*)

-필수아미노산은 소고기, 오메가3은 호두보다 많은 잎

잎이 소고기보다 많은 필수아미노산을 함유하고 있다면 사람들이 믿을까? 그런데 연구결과에 따르면 북채나무 잎이 그렇다. 뿐만 아니라 오메가-3은 아보카도나 호두열매 보다 몇 배 많다.

양분

-지방산: 지방산이 다양하며 함량도 많다. 특히 건강에 좋다는 오메가-3와 다중불포화지방산 함량은 표1과 같이 아보카도, 호두보다 몇 배 많다.

표1. 북채나무 건조잎과 아보카도, 호두의 지방산 함량(%)

지방산	북채나무 건조 잎	신선한 아보카도	건조한 호두
카프릴산 등 7종 총량	21.59	34.82~34.84	14.98
올레산(오메가-9)	3.96	49.55	11.37
리놀레산(오메가-6)	7.44	14.01	18.91
리놀레인산(오메가-3)	44.57	1.26	3.41
단일불포화지방산(MUFA)	4.48	63.53	14.2
다중불포화지방산(PUFA)	52.21	15.27	23.2

출처: https://www.mdpi.com/2304-8158/10/1/31

-필수아미노산: 건조한 잎의 필수아미노산 총량이 콩은 말할 것도 없고 소고기보다 많다, 필수 아미노산 종류별로 보아도 라이신, 메티오닌, 이소류신을 제외하고는 모두 소고기보다 높다. 콩, 소고기와 비교한 필수아미노산 함량은 표2와 같다.

표2. 북채나무 건조잎과 콩, 소고기의 필수아미노산 함량

(mg/100g)

필수아미노산	북채나무 건조잎	콩	소고기
아르기닌	1,325	380	1,118
히스티딘	613	221	603
라이신	1,325	233	1,573
트립토판	425	103	-
페닐알라닌	1,388	708	778
메티오닌	350	296	478
트레오닌	1,188	328	812
류신	1,950	1,764	1,435
소류신	825	803	852
발린	1,163	728	886

출처: https://www.mdpi.com/2304-8158/10/1/31

-무기염류: 무기염류 종류가 다양하며 함량도 많다. 시금치, 치아씨와 비교한 무기염류 함량은 필자 주에 있는 표3에 있다.

-비타민과 탄수화물: 비타민 함량도 높은 편이며 탄수화물도 꽤 있다. 생 잎, 건조 잎의 탄수화물과 비타민 종류별 함량은 필자 주에 있는 표4에 있다.

표3. 북채나무 생잎과 시금치, 건조잎과 치아씨의 무기염류함량

(mg/100g)

무기염류	북채나무 생잎	시금치	북채나무 건조잎	치아 씨
칼슘	440	117	2,003	631
철	0.85	2.7	28.2	0.01
구리	0.07	-	0.57	-
마그네슘	42	-	368	335
인	70	46	204	860
칼륨	259	554	1,324	407
아연	0.16	-	3.29	-

출처: https://www.mdpi.com/2304-8158/10/1/31

표4. 북채나무 생잎과 건조잎의 탄수화물(g/100g)과 비타민 함량

(mg/100g)

영양분	생잎	건조잎	비고
탄수화물	8.633~13.4	38.2~41.2	
비타민B1	0.06	2.02~2.64	
비타민B2	0.05	20.5~21.3	
비타민B3	0.8	7.6~8.2	
비타민E	448	108~113	
비타민A	7	18.9	당근 1.89
비타민C	220	17.3	오렌지 30

출처: https://www.mdpi.com/2304-8158/10/1/31

효능: 북채나무는 혈행(血行)개선, 항균, 면역력 증진, 노화방지 등의 효과가 있다고 알려져 있다. 실제로 인도, 네팔 등에서는 옛날부터 전통약제로 사용해오고 있다.

어린 북채나무 잎　　　　　　　　큰 북채나무

이용: 북채나무는 잎, 꽃, 열매, 씨, 뿌리, 가지, 수액 등 모든 부위를 음식, 차, 식품첨가제, 약용 등으로 다양하게 사용될 수 있다. 필수아미노산, 필수지방산, 무기염류, 비타민이 풍부하여 기능식품(건강보조식품), 의약품과 화장품의 첨가제로 이용할 여지가 크다.

경험삼아 북채나무 꽃을 깨끗이 씻은 뒤 끓인 찌개에 넣어 살짝 데쳐 먹었다. 어린 생 잎은 뜨거운 물에 삶아 무쳐 먹었다. 먹을 만한했다. 씨는 마른 씨를 씹어 먹었다. 입안에 넣고 오물오물 씹을수록 약간의 단맛이 났다. 연한 감초 맛 같기도 했다. 선진국엔 덜 알려져 개발도상국 식물로 불리는 북채나무의 약용 등 활용방안에 대한 연구 가치는 커 보인다.

1.표1의 7종지방산은 카프릴산(caprylic), 라우르산(lauric), 미리스트산(myristic), 팔미트산(palmitic), 팔미트올레산(palmitoleic), 마가르산(margaric)과 스테아르산(stearic)이다.

2. 히스티딘은 어린이시기에만 필수아미노산이며, 아르기닌과 히스티딘은 아이시기에 중요한 아미노산이다.

3.https://www.mdpi.com/journal/foods,https://en.wikipedia.org를 참고했다.

빨간멜론(*Momordica cochinchinensis*)

-빨간 천연색소로 인기 높고 약용으로도 활용

빨간멜론은 빨간 물을 들이는 천연색소로 인기가 높다. 특히 이 열매를 이용하여 지은 빨간 쌀밥은 뗏(베트남 설)의 필수 음식이다. 관상가치도 높아 정원에 많이 심으며, 열매가 익어 빨갛게 달려 있으면 전등을 켜놓은 듯하다.

빨간멜론은 베트남에서 걱(gâc)이라 하며, 박과(Cucurbitaceae)의 여러해살이 덩굴성 식물로 학명은 *Momordica cochinchinensis*, 영명은 red melon, spiny bitter gourd등으로 불린다.

현대인은 색을 좋아한다. 흰색, 흑색 대신 다양한 색을 좋아하여 옷, 일상용품에서 고급 장신구, 전자제품이나 우주선은 물론 심지어 음식에 이르기까지 형형색색으로 아름답게 만든다. 문제는 음식이나 음료수의 경우 인공 화학색소를 사용할 경우 인체에 유해할 가능성이 있고, 설령 해가 없다 하더라도 느낌상 먹기에 꺼림칙하다. 다양한 천연색소의 개발이 필요한 이유다.

베트남에서 빨간멜론이 자연으로부터 얻을 수 있는 빨간 색 원료로 좋다는 것을 나는 실감했다. 하얀 쌀에 이 열매의 속살을 섞어서 밥을 지었더니 정말 빨갛게 물들었다. 빨간 밥을 물에 넣어도 빨간 색이 없어지지 않았다.

열매로 만든 빨간 물

헌데 현재는 빨간멜론이 농작물로 재배되지 않고 길가, 울타리, 집 앞. 정원 등에서 자라고 있다. 따라서 이 식물에 대한 재배법을 개발하여 농작물로 대량 생산하고, 열매에서 색소를 추출하는 기술 등을 연구 개발하여 인체에 유해하지 않는 빨간 천연색소의 대량 생산을 기대해본다.

나무에 달린 익은 열매

빨간멜론은 빨간 천연색소 원료로만 아니라 프로비타민-A, 베타-카로틴, 라이코펜(Lycopene) 같은 카로티노이드가 많이 들어 있는 것으로 알려져 의약용으로서도 개발가치가 높다.

필자 주

1.빨간멜론에 대한 자세한 내용은 책 『메콩델타-베트남의 젖줄』의 "빨간 밥"글에 있다.

열대지역인 동남아와 아프리카엔 굶주림에 시달리는 사람이 생각보다 많다. 그런데 바나나, 파인애플, 망고 등을 비롯하여 재배되는 식용식물이 많지만 작물로 재배되지 않는 식용 가능한 식물도 많다. 뿐만 아니라 현지인의 이야기를 들어보면 야생식물 중에도 식용화가 가능한 식물이 많은 것으로 추정되었다. 따라서 야생식물의 재배 식용식물 만들기, 기존 식용식물의 우수 신품종 육성, 재배방법의 개선, 가공기술의 도입으로 식품생산화, 식물 중 약효성분의 신약개발 등을 추진하면 많은 사람들을 굶주림과 가난에서 해방시킬 뿐만 아니라 인류의 건강증진에도 큰 도움이 되리라 믿는다.

식용식물의 생산성 향상과 식량화, 신약개발은 이들 식물에 대한 체계적이고 종합적인 조사연구가 장기간 이루어져야 한다. 이런 사업은 막대한 예산이 소요되어 개인이나 소기업이 실시하기에는 벅차다. 따라서 이 분야에 정부나 대기업에서 좀 더 관심을 가져주기를 기대하며, 책 『열대식물 엿보기-식용』이 그런 계기를 만드는데 미력이나마 도움이 되었으면 한다.

2024. 01. 30

유 기 열